Las Culturas del Siglo de Oro

Ricardo García Cárcel

HISTORIA 16

Rufino González, 23 bis.
28037 Madrid

Depósito Legal: M-6334-1998
Impreso en España-Printed in Spain
Impresión: Graficinco

INDICE

LOS MEDIOS DE DIFUSION

Producción cultural. Los autores

La sociología de la producción de la cultura en la España del Siglo de Oro está en nuestro país aún más atrasada que la sociología del consumo. Para las famosas preguntas de J. P. Sartre en *Que est–ce que la litterature?*: ¿Quién escribe las obras? y ¿para quién escribe las obras? tenemos, hoy por hoy, pobres respuestas. Intentaremos aquí aportar algunos elementos de la respuesta al primer interrogante.

Noël Salomon en 1972 estableció tres tipos de escritores en la España del Siglo de Oro:

1) Los escritores *aristócratas*, para quienes tomar la pluma es un arte noble del espíritu, un lujo en su existencia social palaciega. Tal es el caso del Marqués de Santillana o Garcilaso de la Vega.
2) Los escritores *artesanos*, para quienes escribir es una profesión, una actividad para ganar el pan cotidiano. Entran en esta condición los juglares medievales, los poetas maestros de capilla (Juan del Encina, Lucas Fernández) y los poetas secretarios *capellanes* del tipo de Lope de Vega hacia 1600. Unos y otros viven de su pluma a la sombra del roble señorial.
3) Escritores de *mercado*. El ejemplo más expresivo es Lope de Vega después de 1610. El teatro fue para él un importante medio de vida. Por una comedia cobraba poco más de 300 reales.

De ellos, para Salomon, el tipo más frecuente de escritor fue el apoyado por el mecenas. Sin embargo, el mecenazgo, en España, fue limitado. La burguesía mercantil protectora de intelectuales en otros países fue escasa. Participó más en el mecenazgo la nobleza, sobre todo en la primera mitad del siglo XVI. El Conde de Tendilla, al que alababa Pérez de Pulgar por su conocimiento de Salustio, protegió a su llegada a España a Pedro Mártir de Anglería. Diego Hurtado de Mendoza mantuvo una fructífera relación con Páez de Castro y el Duque de Gandía protegió a Juan Andrés Estrany, comentarista de Plinio. Fernando Colón hizo venir a Juan Vaseo a trabajar en la biblioteca colombina y tradujo la mecánica de Aristóteles. El Conde de Ureña fundó en 1548 la Universidad de Osuna. El Marqués de Mondéjar D. Gaspar Ibáñez de Segovia brilló por sus estudios de crítica histórica. La duquesa de Calabria fue la gran protectora del grupo científico renovador de la Universidad de Valencia en 1540.

Pero la realidad es que sólo una minoría de la nobleza ejerció directamente el apoyo a las actividades de los humanistas. La mayoría se proyectó hacia tareas de gobierno, guerra o diplomacia. En 1534 el humanista Francisco Decio compuso un diálogo con el título: *Paedapectitia* (*aborrecimiento de la educación*), en el que el protagonista refutaba los argumentos del caballero Geraldo, quien sostenía que los estudios no se acomodaban a la dignidad del caballero. Juan Costa, catedrático de la Universidad de Salamanca, afirmaba en 1578 que los nobles tenían a gala su pésima escritura. Juan de Mal Lara llega a decir que *aún es señal de nobleza de linaje no saber escribir su nombre*. Pedro Mártir, llamado por el cardenal Mendoza a Granada para enseñar Humanidades a los jóvenes nobles, decía: *Estos aborrecen las letras. En efecto, estiman que las letras son un impedimento para la milicia, la única cosa, dicen, por la que es glorioso esforzarse*. El proteccionismo nobiliario sólo se dejó sentir —y únicamente en las ciencias— a fines del siglo XVII.

La Corona ejerció, asimismo, un relativo mecenazgo. La reina Católica comenzó a estudiar latín en 1482 en sus esfuerzos por instruir a la nobleza cortesana. Desde 1487 figura en las cuentas del Terorero Real Gonzalo de Baeza el nombre de Beatriz Galindo, la *latina*.

La preocupación de Isabel por la educación intelectual de sus hijas contrasta, por cierto, con el desinterés que Carlos V manifestó por la educación de las suyas.

La labor de Pedro Mártir de Anglería como *capellán y maestro de los caballeros de la corte en las artes liberales*, desde 1492 a 1516, fue reconocidamente útil. A la muerte de Fernando el Católico, Cisneros suspendió la asignación de 30.000 maravedíes anuales que por su magisterio le había otorgado a Pedro Mártir la reina Isabel. Durante el reinado de Felipe II funcionó, asimismo, una escuela de pajes en palacio. Los maestros del príncipe Felipe II fueron Martínez Silíceo y Calvete de Estrella.

López Piñero ha destacado el papel del poder real en la organización de la actividad científica. Testimonios expresivos de ello fueron las Relaciones Topográficas de Felipe II, la expedición científica a México de Francisco Hernández de 1571–1577, unificación de pesas y medidas, promoción de la ingeniería militar, etcétera.

A fines del siglo XVI la nobleza empezó a ir superando el tradicional concepto de la incompatibilidad de las armas con las letras.

El estatus económico de los humanistas estuvo determinado por la concepción —más bien peyorativa— de las clases privilegiadas de la cultura. García Matamoros comentaba significativamente: *Somos, en efecto, esclavos de la nobleza, y se estima que se nos hace un gran honor cuando se nos pide que nos hagamos cargo de la educación de los jóvenes nobles. Mas la consideración que se tiene a los preceptores en las casas de los nobles es de tal género que la rechazarían por vergüenza los parásitos, si fueran sensatos, pues hasta los lacayos y los pajes la tendrían a ofensa. Eso y otras cosas mucho más indignas vemos que les suceden a muchos a diario; y para escapar de ellas, con más honra, prefiero mi escondrijo en estos cuchitriles de los estudios a vivir ostentosamente en los espléndidos palacios de los ricos, donde se tiene en mayor estima a los palafreneros que a los oradores y se mima a los cocineros*.

Asimismo es expresiva la correspondencia entre Juan de Vergara y Luis Vives en el año 1527: *Me congratulo de la liberalidad que muestran contigo los príncipes de Inglaterra. ¡Ojalá se dieran entre nosotros ejemplos semejantes! Mas, como éstos son muy escasos, es imposible que esperes que te dé una lista de nuestros eruditos. Hay muchos eruditos en la sombra a quienes convirtieron en Aspendios las aficiones de nuestros nobles tan incompatibles con las letras*.

Aspendio era el flautista que tocaba para sí mismo sus melodías.

El arte participó de la misma situación que la literatura. La clientela, ya eclesiástica (cabildos catedralicios, curas párrocos, frailes, monjas...) ya civil (cofradías, hermandades, corporaciones, mayordomos, etcétera), por regla general encargaban pinturas para ser objeto de la devoción en iglesias, capillas y conventos. Son escasos, en cambio, los encargos para el adorno y ornato de palacios o arquitecturas profanas, limitándose éstos a los más domésticos para los oratorios de las casas o las imágenes religiosas de alcoba.

Los pintores, agrupados en gremios, con talleres de empresa artesanal y familiar, con una organización aún medieval y una posición pecuniaria mediocre, tenían que vérselas con unos clientes o mandatarios que no les concedían una consideración social semejante a la que ya tenía el artista en Italia o en Francia.

Sólo los pintores de cámara y en especial Velázquez pudieron escapar, en gran parte, a una situación precaria de trabajo propia de una sociedad estamental, sin movilidad de clases y lentas reacciones estructurales.

B. Bennassar ha demostrado, sin embargo, contra la interpretación de Bonet Correa, que en España hubo abundante coleccionismo artístico de la monarquía, de la nobleza y hasta de la burguesía. El marqués de Leganés, el conde de Monterrey, Jerónimo de Villanueva..., destacaron como expertos comisarios del rey para la compra de cuadros. El pintor Velázquez compró cuadros en Italia para el rey como la *Venus y Adonis* de Veronés y el *Paraíso* de Tintoretto. Pero no sólo brillan las colecciones del rey.

Los inventarios de bienes de nobles y burgueses reflejan el interés por el arte. Colecciones como la del marqués de Carpio, Juan Viancio Lastonosa, los ya citados Leganés y Monterrey y el almirante de Castilla o el duque del Infantado son bien significativos.

Incluso un comerciante como Pedro de Arce tenía una impresionante colección en la que destacaba las *Hilanderas* de Velázquez.

Volviendo a la literatura, diremos que la clasificación de Salomon es muy superficial. Alberto Blecua ha subrayado las variaciones en la identidad de los autores en función del género cultivado.

Los poetas presentan una *facies* sociológica compleja. Al lado de autores como Zapata, que pagó 400.000 maravedíes para imprimir su *Carlo famoso*, y que entraría dentro del grupo de aristócratas, vemos a autores de todo pelaje social; desde los que escriben por razones de utilidad —caso de los místicos y jesuitas— a los que sólo aspiran al *fresco soplo del viento de la fama*. Lo que parece evidente es que no son muchos los poetas que imprimieron sus obras y, desde luego, sus beneficios económicos fueron escasos. Las obras de Garcilaso y Quevedo fueron un éxito editorial pero ello a quien benefició fue a los editores. Quizá sólo Lope obtendría directamente ganancias de su producción poética. Tampoco los poetas épicos compusieron sus obras por obtener beneficios. En su caso, sus elogios a determinadas familias ilustres propiciaron el mecenazgo. La dignidad de la poesía épica permite el acceso a la misma de una amplia gama de escritores, desde los procedentes de la gran nobleza a los simples soldados testigos presenciales de tales o cuales hechos militares.

La novela sentimental entraba en la categoría poco definida de *tratado* y estaba compuesta generalmente por secretarios, es decir, profesionales de la pluma. Este género pertenece a la tradición humanista y desaparece hacia 1550. La novela de caballerías, con un centenar de títulos y más de 250.000 volúmenes impresos, es el género que más se presta a una fabricación en serie. Criticado por los moralistas y erasmistas, el libro de caballerías presenta cierta tendencia al anonimato y sus autores, salvo Fernández de Oviedo, Feliciano de Silva o Jerónimo de Urrea son hombres un tanto oscuros en la historia literaria.

En general, parecen obras compuestas por estudiantes jóvenes y de condición social no relevante. Lo que está fuera de toda duda es que supusieron un gran negocio editorial hasta 1550. En la década 1540-50 se llega a imprimir hasta 39 ediciones, en su mayor parte en la imprenta sevillana de De Rolertis. El *Amadís* (24 ediciones), *Lepolemo* (11), *Las Sargas, el Lisuarte y el Primalión* (10), *Renaldos y Palmerín* (9), y *el Espejo de Caballería* (8), son los títulos de mayor difusión.

Después de 1550 el género entra en crisis por la extensión enorme de sus textos, renaciendo de modo impresionante en la década de 1580–90, con nada menos que 31 ediciones que algunos historiadores han relacionado con la preparación de la Armada Invencible. La pervivencia del consumo de las novelas de caballerías a lo largo del siglo XVI y XVII no es incompatible con la realidad de un abandono de este género por parte de los autores jóvenes a mediados del siglo XVI, autores que no se habían formado en la tradición literaria del siglo XV. Desde mediados del siglo XVI, efectivamente, comienzan a desaparecer los libros de caballería originales paralelamente a la escalada de la novela pastoril. De este género sólo fueron éxito editorial la *Diana* de Montemayor, Alonso Pérez y Gil Polo; la *Arcadia* de Lope, el *Pastor de Filida* de Gálvez de Montalvo y la *Galatea* cervantina. Fue un género culto, refinado, que se prestaba a ser abordado por secretarios e intelectuales cortesanos, que escribieron muchas veces en clave y con alusiones veladas a los lectores de su clase social. Sin embargo, vemos entre sus cultivadores gente muy variada: condes como D. Gaspar Mercader, sacerdotes como Balbuena, médicos como Pérez, traductores como Texeda, notarios como Gil Polo, cantores como Montemayor, soldados secretarios o soldados poetas como Cervantes, Gálvez de Montalvo, Lofraso, secretarios como Lope y estudiantes jóvenes como Gonzalo de Bobadilla.

La novela bizantina contó con pocos cultivadores aunque de reconocido prestigio como Cervantes, Lope o Gracián. Todo lo contrario ocurrió con la novela corta. El trasiego de temas de la novela al teatro y viceversa se prestaba a una fácil composición de la novela corta que, además, tenía en Italia una mina prácticamente inagotable de novelas. Salas Bobadilla y Castillo Solórzano se convierten en verdaderos fabricantes de novelas cortas. Asimismo contó con muchos autores la novela picaresca, tanto por el carácter proteico del tema como por el éxito fulminante del *Guzmán de Alfarache*.

Al filón de la picaresca acudieron desde los poetas y novelistas conocidos como Quevedo, Salas Barbadillo, Castillo Solórzano, Espinel, Cervantes, a escritores accidentales como Alcalá Yáñez, López de Ubeda, Carlos García —los tres médicos—,

Juan de Luna —traductor—, o Gregorio González y Martí, jesuitas.

Los primitivos autores teatrales en lengua vulgar son secretarios —Francisco de Madrid—, organistas y músicos —Lucas Fernández, Encina, Gil Vicente—, clérigos —Diego Sánchez de Badajoz, Díaz Tanco, Torres Naharro— y estudiantes de escaso renombre. Sus obras, por lo general, están compuestas para ser representadas en los palacios o en las iglesias, con motivo de festividades religiosas y en algunas ocasiones, se escriben a petición de los mecenas o de los ayuntamientos.

Hasta 1530 no hay noticias de actores profesionales por lo que no se establecía entre el público y el autor ningún elemento mediador. Los primeros autores–actores profesionales fueron Lope de Rueda y Alonso de la Vega. El teatro fue el género más *comercial*. La demanda extraordinaria del mercado generó una fabricación casi en serie. Lope y Calderón, sobre todo el primero, pudieron vivir de la comedia aparte de sus mecenas.

El mercado, en el siglo XVII, marcaba ciertamente sus pautas. Mucho antes, ya el Lazarillo, en el prólogo de su *Vida* había escrito: *ninguna cosa se debería romper y echar a mal si muy detestable no fuese, sino que a todos se comunicase, mayormente siendo sin perjuicio y pudiendo sacar de ella algún fruto, porque si así no fuese, muy pocos escribirían para uno solo, pues no se hace sin trabajo, y quienes, ya que de pasar, ser recompensados, no con dineros, mas con que vean y lean sus obras y si hay de qué, se las alaben*. La vanidosa autosatisfacción había dado paso al directo afán de lucro.

Pero definidas las múltiples intenciones con las que los autores abordan los diversos géneros literarios, ¿qué podemos decir acerca de la identidad de estos autores? La fuente que registra los escritores españoles en los siglos XVI y XVII es la *Biblioteca Hispana Nova* de Nicolás Antonio (1617–1684), que abarca toda la producción literaria hispano–portuguesa de 1500 a 1684. La obra se editó en primera edición en 1696 y se reeditó en 1783–8 incorporándole unos índices valiosísimos.

La obra de Nicolás Antonio ha sido explorada por diversos historiadores, aunque de manera parcial. J. M. López Piñero la utilizó para su labor de identificación de los cultivadores de la ciencia en España. Para el siglo XVI López Piñero reunió datos sobre 572 biografías de científicos que en su mayor parte publicaron al menos una obra impresa (366). El 32,87 % de estos científicos fueron médicos y cirujanos, a los que siguen los clérigos (18,70 %), profesores minoritarios de artes (6,29 %), marinos (5,59 %), militares (4,02 %) y cosmógrafos (3,67 %). De todos estos científicos, López Piñero registra que un total de 490 tienen residencia en 80 localidades distintas entre las que sobresalen Sevilla, Valencia, Madrid, Salamanca, Zaragoza, Alcalá, Toledo, Barcelona y Valladolid. Los lugares donde se publicaron las primeras ediciones de obras científicas en España fueron Sevilla, Madrid, Alcalá, Salamanca, Valencia, Zaragoza, Barcelona, Valladolid y Toledo. La coincidencia de unas y otras ciudades (residencia y publicación) es patente aunque el orden de prioridad no sea el mismo. López Piñero ha averiguado, asimismo, la condición social de los cultivadores de ciencia, recopilando información respecto a un total de 486 personas. De ellos 10 son nobles con título, 63 caballeros o hidalgos (en conjunto, un 15,02 % de nobles, por tanto), 107 clérigos (22,02 %) de los cuales son 63 del clero secular y 44 del regular, y 306 del estado llano (63 %).

J. Caro Baroja manejó la obra de Nicolás Antonio para el conocimiento de la temática de lo publicado a lo largo del siglo XVI y XVII. Uno de los índices de la obra de Nicolás Antonio recoge, efectivamente, un total de 23 secciones de materias, las doce primeras de las cuales son de carácter religioso, seguidas de obras filosóficas, médicas, jurídico–políticas, políticas, matemáticas, traducciones, humanidades, historia, poesía, varios y fábulas en prosa.

Las 12 secciones de tema religioso se distribuyen así:

Sección 1.ª	Intérpretes de las Sagradas Escrituras. Cuestiones bíblicas	459 autores
Sección 2.ª	Concilios, sínodos, patrística	71 autores
Sección 3.ª	Teología escolástica	308 autores
Sección 4.ª	Cristología	228 autores

Sección 5.ª	Mariología	507 autores
Sección 6.ª	Polémicas, controversias	150 autores
Sección 7.ª	Obras ascéticas y espirituales	596 autores
Sección 8.ª	Obras de moral, teología, filosofía y política cristiana	841 autores
Sección 9.ª	Oratoria sagrada	443 autores
Sección 10.ª	Catequesis y doctrina cristiana	200 autores
Sección 11.ª	Ordenes regulares	316 autores
Sección 12.ª	Varios, misceláneas teológicas	62 autores
	TOTAL	4.306 autores

Las secciones de temas no religiosos se distribuyen así:

Sección 13.ª	Filosofía	368 autores
Sección 14.ª	Medicina y ciencias auxiliares	490 autores
Sección 15.ª	Derecho	663 autores
Sección 16.ª	Política, economía	226 autores
Sección 17.ª	Matemáticas	393 autores
Sección 18.ª	Traducciones	485 autores
Sección 19.ª	Humanidades	598 autores
Sección 20.ª	Historia	1.646 autores
Sección 21.ª	Poesía	563 autores
Sección 22.ª	Varios	113 autores
Sección 23.ª	Fábula en prosa	143 autores
	TOTAL	5.450 autores

El dominio de la materia religiosa en el total de la producción literaria es evidente. De los 9.756 nombres de autores reseñados por Nicolás Antonio, un 44,2 % escriben sobre temas religiosos, número que hay que incrementar, porque en los capítulos de derecho, historia y literatura se incluyen nada menos que 1.529 autores que pueden vincularse a la temática religiosa, lo que en definitiva nos eleva la cifra, según Caro Baroja, a 5.835, cifra que supera, pues, la de los autores de temas no religiosos. Naturalmente, muchos de los autores están repetidos al ser autores de varias obras insertas en diversos temarios.

Los índices de Nicolás Antonio permitieron, asimismo, a Juan Linz intentar un análisis cuantitativo de la biografía de los intelectuales de los siglos XVI y XVII que, aunque planteado de modo muy ambicioso, ofreció unos resultados bastante pobres y equívocos abundantes.

Actualmente, en la Universidad Autónoma de Barcelona estamos preparando un estudio exhaustivo de la obra de Nicolás Antonio para, a través de un riguroso método informático, conocer la identidad de los autores de los siglos XVI y XVII; educación, estatus socio–profesional, ediciones de sus obras...

Por ahora sólo aportamos información sobre dos cuestiones: la procedencia geográfica y la identidad clerical o laica, basándonos en los índices de 1783.

Del total de 8.358 escritores que Nicolás Antonio reseña en un primer índice por orden alfabético, tiene localizada la procedencia de un total de 3.558, es decir, un 45,8 % del total.

La procedencia geográfica de estos 3.558 escritores queda fijada así:

Baleares	36
Canarias	11
Navarra	59
Asturias	6
Murcia	23
TOTAL	135

País Vasco

Alava	8
Vizcaya y Guipúzcoa	45
TOTAL	53

Aragón

Zaragoza	61
Calatayud	20
Daroca	8
Barbastro	7
Huesca	7
Tarazona	6
Teruel	4
Jaca	2
Albarracín	2
Varias ciudades	7
No identificados	104
TOTAL	258

Castilla la Vieja

Burgos	45
Segovia	39
Avila	25
Logroño	13
Nájera	9
Soria	5
Calahorra	5
TOTAL	141

León

Valladolid	71
Salamanca	51
Medina del Campo	21
León	16
Zamora	14
Palencia	16
Medina del Rioseco	6
Benavente	5
Toro	4
Ciudad Rodrigo	1
TOTAL	205

Varias ciudades de Castilla-León: 319

Total Castilla-León: 1.081

Castilla la Nueva

Madrid	153
Toledo	152
Alcalá	24
Talavera	19
Ocaña	17
Guadalajara	13
Cuenca	14
Belmonte	10
Ciudad Real	7
Huete	4
Sigüenza	3
TOTAL	416

Cataluña

Barcelona	30
Lérida	8
Perpinyá	8
Tortosa	7
Gerona	7
Tarragona	5
Seu d'Urgell	2
Vic	1
Solsona	1
Varios	29
Lugares inciertos	70
TOTAL	168

Galicia

La Coruña	4
Santiago	2
Orense	2
Tuy	2
Mondoñedo	1
Varios	9
No identificados	12
TOTAL	32

Valencia

Valencia	22
Xátiva	13
Orihuela	8
Alicante	6
Segorbe	4
Castellón	4
Alcoy	4
Villareal	3
Morella	3
Gandía	2
Denia	1
Varios	20
No identificados	96
TOTAL	186

Andalucía

Sevilla	160
Granada	68
Córdoba	60
Baeza	22
Antequera	16
Málaga	13
Jaén	11
Jerez	10
Ronda	9
Ubeda	6
Ecija	8
Cádiz	7
Andújar	5
Carmona	5
Osuna	4
Sanlúcar	3
Guadix	2
Gibraltar	1
Almería	1
Varias ciudades	74
No identificados	31
TOTAL	518

Extremadura

Plasencia	14
Cáceres	9
Trujillo	8
Alcántara	8
Zafra	8
Badajoz	7
Llerena	5
Mérida	5
Medellín	4
Jerez	1
Varios	33
No identificados	5
TOTAL	107

Portugal			
		Portalegre	4
		Setúbal	3
Lisboa	118	Guardia	2
Coimbra	28	Silves	1
Porto	21	Varios	157
Evora	19	No identificados	497
Braga	13	Colonias Port.	20
Beja	13		
Elvas	9	TOTAL	925
Santarem	6		
Lamego	7		
Leiria	5		
Viseo	5	Hispanoamérica	93

La distribución geográfica de los escritores pone de relieve varias cosas:

1) El extraordinario peso específico de Castilla la Nueva, Andalucía y Portugal, sin duda por la relevancia como focos de atracción y emisión de cultura de ciudades como Madrid, Toledo, Valladolid, Sevilla, Granada, Córdoba y Lisboa. Llama la atención especialmente la elevada cifra de intelectuales portugueses. ¿Tiene algo que ver, al respecto, la continuidad de los judíos en el ámbito portugués?
2) El segundo nivel en la jerarquía lo ocupan las restantes regiones centrales (Castilla la Vieja y León) y la Corona de Aragón, que en función de su población global ofrece una imagen de notable densidad en su oferta de intelectuales.
3) El tercer nivel lo ocupa la periferia cantábrica (Galicia, Asturias, País Vasco), Extremadura e Hispanoamérica. Naturalmente, esta jerarquización es paralela a la población global y sobre todo al coeficiente de población urbana en cada ámbito geográfico. Urbanización y producción de escritores parecen conceptos muy relacionados.

De los 8.358 autores registrados por Nicolás Antonio, el propio erudito aporta información biográfica con datos socioprofesionales, de un total de 3.918 personas. El peso específico del clero entre estas personas es enorme. Entre el clero secular y el clero regular y los miembros de las órdenes militares, la suma asciende a 3.407 personas. Ello representa en relación con los 80.000 clérigos que se calcula había en España a fines del siglo XVI un porcentaje de clérigos intelectuales ciertamente escaso, pero en cualquier caso muy superior al de los nobles —tan sólo 46— que aún incorporándoles los altos funcionarios de corte, posiblemente también nobles, significaron una ínfima cifra en relación al total de la nobleza española (1/10 de la población, según A. Domínguez Ortiz) y a la presunta adscripción cultural que a la nobleza se ha atribuido (según el propio Domínguez Ortiz los nobles serían los 3/4 o los 4/5 de los que han tenido acceso al escrito en España).

Claro que, posiblemente, en el índice de Nicolás Antonio sólo se refleja la más elevada nobleza —los títulos— y no la baja nobleza que está sobre todo entre los cerca de 5.000 individuos sin identificar sociológicamente. De ahí que haya que ser muy prudente, a la hora de establecer deducciones a partir de los índices de Nicolás Antonio. En cualquier caso, la distribución del clero, el estamento sobre el que sí se pueden inferir conclusiones rotundas, es la siguiente:

Clero secular. Total 789

— Adscritos a diócesis y colegiatas: 371 (la diócesis con más personas es la de Zaragoza con 29, seguido de la de Toledo con 27, Sevilla con 25 y Valencia con 16).
— Arzobispos y patriarcas: 224
— Vinculados a la corte real (confrares, capellanes, limosneros...): 128
— Inquisidores: 34
— Vinculados a la corte pontífice (auditores, consultores...): 16
— Otros: 16

Clero regular. Total 2.455

— Clero menor: 421
— Franciscanos: 556
— Jesuitas: 536
— Agustinos: 221
— Carmelitas: 185

— Cistercienses: 116
— Mercedarios: 110
— Trinitarios: 83
— Jerónimos: 32
— Capuchinos: 21
— Otros: 1.741
Ordenes Militares. Total 163
— Santiago: 85
— Calatrava: 23
— Alcántara: 19
— Montesa: 6
— Otros: 30

El predominio del clero regular es bien evidente con los franciscanos y jesuitas encabezando el escalafón cultural. Destaca asimismo el elevado porcentaje que dentro del clero secular presentan los arzobispos y patriarcas. El clero parroquial fue ciertamente mucho más inculto que el clero monástico, y ello pese a las influencias de Trento.

Nicolás Antonio concede importancia específica a la pertenencia de intelectuales a los Colegios Universitarios. De hecho, registra un total de 118 personas colegiadas, distribuidas en los siguientes colegios:

— San Clemente: 33
— San Bartolomé: 26
— Santiago de Cuenca: 15
— Santiago: 12
— San Salvador: 12
— San Ildefonso: 9
— Santa Cruz: 8
— Santa María: 3

Fuera del clero los índices de la obra de Nicolás Antonio sólo recogen un total de 393 personas, todas ellas vinculadas a la corte. Destacan, además de los 10 reyes y príncipes registrados, 18 gobernadores o virreyes, 187 consejeros regios, 54 cosmógrafos reales, 30 médicos, 45 nobles (duques o marqueses), 19 oradores regios, 9 secretarios y otros oficios menores.

Estos son los datos aportados por Nicolás Antonio que hasta el momento podemos analizar. En cualquier caso, seguimos sin conocer la identidad socioprofesional de los escritores del Siglo de Oro. El tratamiento informático del banco de datos que ofrece la obra de Nicolás Antonio nos permitirá ahondar en esta problemática.

Por ahora no podemos llegar mucho más allá de la clasificación tripartita de Noël Salomon a la que nos referíamos al comienzo del trabajo.

Conocemos, en cambio, bastante mejor la sociología de los artistas del Siglo de Oro a través de los trabajos de Jonathan Brown y J. J. Martín González. De ellos, es bien patente su condición de artesanos perfectamente instalados en un rígido sistema gremial, que poco a poco se fue rompiendo por la propia dinámica exterior de los artistas, con viajes a Italia (desde Ribera a Velázquez pasando por Berruguete, Siloé, Navarrete, Herrera y tantos otros) o desplazamientos dentro de nuestro país.

Su poder económico como su nivel cultural fue desigual. Pobres como Juan de Juni, Gregorio Fernández o Zurbarán contrastan con poseedores de grandes medios económicos como Gregorio Fernández, Berruguete, el Greco, o, naturalmente, Velázquez. Gente culta como Velázquez, Berruguete, Cano o Herrera contrastan con el ínfimo nivel cultural de la mayoría de los artistas.

En cualquier caso, es evidente la dificultad de encuadrar a los autores (literatos y artistas) en un esquema simple.

Imprenta y edición

Sabido es que la primera obra impresa en el mundo es la célebre *Biblia* de cuarenta y dos líneas, que se empezaría a imprimir en 1452 y se acabaría antes de 1461, a cargo de un grupo de impresores de Maguncia encabezado por Gutemberg. La difusión de la imprenta fue rápida: Estrasburgo, Bamberg, Colonia, Augsburgo, Basilea, etcétera. La primera obra impresa fuera del ámbito germánico fueron las *Cartas* de Cicerón, en tirada de 550 ejemplares, realizada en Roma en 1467. Después pasaría a Venecia (1469), Nápoles (1470), Utrech (1470), Florencia, Milán, París (1470), Lyon (1473), y Budapest (1473).

En España, se creyó durante mucho tiempo que la primera obra impresa era el *Sinodal* de Segovia, adjudicándole la cronología de 1472 ó 1473. Hoy se sabe que fue posterior. Zaragoza ha reivindicado también la paternidad de la imprenta, a través de la existencia de un registro de asociación de impresores, dirigidos por Botel, que se constituiría en 1473. Pero no hay constancia de libros impresos en ese año en Zaragoza.

La obra que se ha venido considerando en los últimos años como el primer libro impreso en España ha sido *Obres e trobes en labors de la Verge Maria*, colección de cuarenta poesías en valenciano, cuatro en castellano y una en toscano, premiadas en un certamen celebrado en Valencia el 11 de febrero de 1474. No constan en este libro impreso en Valencia ni la fecha de la impresión ni el nombre del tipógrafo, pero se ha supuesto se trata del mismo año (1474) del certamen y del impresor Lamberto Palmart, por tener los mismos caracteres romanos que usó Palmart en la *Summa* de Santo Tomás de Aquino, primer libro que lleva su nombre (editado en 1477)

Un estudio monográfico de Witten ha puesto de relieve la probable prioridad cronológica sobre las *Obres* de cinco obras, por su mayor arcaísmo tipográfico. La primera, según esta tesis, sería la *Etica, Política, Oeconómica* de Aristóteles, impresa probablemente, como decíamos, en 1474 en Barcelona, y a la que seguirían de inmediato las *Epístolas* de Phalasis, las *Fábulas* de Esopo, traducidas por Lorenzo Valla, las *Elegantiolae* de Datus y la *Bula* de Luchente. Este grupo sería continuado por otro bloque de obras con el mismo tipo romano de letra en el que estarían las *Obres e trobes*, el *De duobus amantibus* de Aretino, el *Comprehensiorum* de Jannes (fechado con seguridad en 1475), las obras de Salustio (igualmente fechado en 1475) y la *Tercia pars Summae*, de Santo Tomás de Aquino. Los primeros caracteres góticos aparecen en Valencia en 1477 en *Summula confesionis,* de San Antonio de Florencia, impreso por Alfonso Fernández de Córdoba, y en 1478 en la célebre *Biblia* de Bonifacio Ferrer.

Según esta tesis, pues, la paternidad de la imprenta en España correspondería a Barcelona a través del ya citado libro de Aristóteles, presuntamente editado en 1474 por la sociedad formada por los impresores Botel, Von Haltz y Lanck, un año antes. En 1475, ciertamente, la imprenta ya aparece relativamente generalizada en Barcelona, Valencia y Zaragoza, difundiéndose por toda España. Sevilla imprimió su primer libro en 1476, Valladolid en 1481 y Toledo en 1483. En 1480 había seis impresores en España por 43 en Italia, 28 en Alemania, 13 en los Países Bajos, 10 en Francia y 4 en Inglaterra. En 1600 Sevilla había impreso 751 libros, Toledo 419, Valladolid 396, Madrid 769. La mayor parte de los impresores en estos años iniciales de la imprenta fueron alemanes: Pere Brun, Nicolau Spindeler, Juan Rossembach —quizá, el más famoso por sus libros ilustrados—, Juan Luçchner, Gerard Preuss, Pedro Hagenbech, etcétera.

Comparando la producción editorial española con la europea, Chaunu considera que antes de 1500 en España se habían impreso unos 1.000 incunables, el 3 % aproximadamente que en Europa en el mismo período. A lo largo del siglo XVI la cifra subiría en España a 10.000, un 7 % de la producción editorial en Europa. En el ámbito catalán la producción editorial sería aún más limitada que en Castilla. Hasta 1500, en todos los países de habla catalana, según Bohigas, se editaría un total de 258 libros (de los que 117 serían en catalán). En la obra de Norton, de 1500 a 1520 se reseñan 302 ediciones de libros en el ámbito catalán, lo que presupone una muy elevada tasa de crecimiento respecto a los años anteriores.

En la primera mitad del siglo XVI la coyuntura, según Bennassar, fue muy favorable para la producción de libros. Christian Peligry escribe: *Los Reyes Católicos, llenos de asombro ante el nuevo arte de la imprenta, promulgaron en 1480 una ley sobre los libros en la que se planteaba una amplia libertad*. Esta libertad permaneció prácticamente intacta hasta la Pragmática de 1558. Simultáneamente, el crecimiento de la economía y el de la Universidad incrementaban fuertemente la demanda. En el clima de pánico provocado en España por la difusión de las doctrinas protestantes, la Pragmática del 7 de septiembre de 1558 restringió esta libertad, estableciendo un control estricto sobre las ediciones o reediciones, así como sobre las importancias de libros. Jaime Moll ha subrayado la incidencia de esta Pragmática sobre el libro. Sus consecuencias fueron para este historiador:

a) Centralización de la concesión de licencias para imprimir en el Consejo de Castilla, previas a las aprobaciones pertinentes.
b) El ejemplar presentado para obtener la licencia —manuscrito o impreso— tenía que ser firmado y rubricado por un escribano de dicho Consejo, y según su texto debía imprimirse la obra.
c) El impresor debía imprimir el texto sin la portada ni otros preliminares.
d) Concluida la impresión, debía presentarse el libro al Consejo, para que el corrector oficial cotejase lo impreso con el texto del ejemplar aprobado y rubricado, certificando su total adecuación al mismo, salvo las erratas advertidas.
e) El Consejo fijaba el precio de venta de cada pliego del libro, tasa certificada por un escribano del mismo.
f) Se imprimían la portada y demás preliminares, en los que, obligatoriamente, debían figurar la licencia; la tasa; el privilegio, si lo hubiere; el nombre del autor y del impresor, y el lugar donde se imprimió, a lo que se añadió en 1627 la exigencia legal de que figurase también el año de impresión.

En 1569, hasta los mismos libros litúrgicos, y más tarde, en 1627, hasta los folletos de pocas páginas, fueron sometidos igualmente a este control. La intervención de la Inquisición perjudicó, sin lugar a dudas, la producción y la importación de libros, y Christian Peligry puede ofrecer ejemplos de las graves pérdidas sufridas por los libreros, cuyos libros eran requisados para ser expurgados, lo que provocaba una prolongada inmovilización de su capital, o incluso una amputación del mismo cuando los libros no eran devueltos.

A pesar de todo, la favorable coyuntura permitió a la producción de libros mantenerse en un nivel relativamente elevado durante la segunda mitad del siglo XVI en las principales ciudades de edición.

Según B. Bennassar, en Valladolid, que había alcanzado un buen promedio anual de 7,12 libros de 1544 a 1559, se observa un declive tras la marcha de la Corte en 1559, pero el crecimiento es continuo de 1570 a 1605 y a comienzos del siglo XVII la ciudad produce cada año una veintena de títulos; en Sevilla, la producción desciende ligeramente de 1550 a 1590, después sube vertiginosamente hasta alcanzar unos treinta títulos anuales hacia 1620. En Madrid, donde la imprenta no comienza hasta 1566, el ritmo de las publicaciones aumenta sin cesar hasta los años 1621–1626. En este momento, la capital imprime un centenar de libros al año: 112, en 1626; 102, en 1627. Mientras tanto, la producción de Alcalá de Henares, que había permanecido estable hasta 1600, declina de 1600 a 1620, luego recupera el nivel anterior entre 1640 y 1650: la proximidad inmediata de Madrid fue el recurso favorable para la imprenta de Alcalá. En cambio, las producciones de Toledo y de Medina del Campo, que habían sido débiles por otra parte, descienden considerablemente en los años 1600 y la de Valladolid no alcanza ya a mantenerse, después de 1605, en el elevado nivel que había sido el suyo anteriormente.

Después de 1625 el declive es general y continuo. La imprenta castellana fue perjudicada también por los monopolios. Un buen ejemplo fue la exclusividad concedida en los años 1561–1670 al importante impresor de Amberes Christophe Plantin *para el aprovisionamiento de los Estados del rey de España en breviarios, misales, diurnales, libros de horas, y otras obras litúrgicas*. Plantin y sus sucesores, los Moretus, encontraban garantizado un mercado considerable del que quedaban excluidos los impresores y libreros españoles, porque de esta manera la venta se convertía en un objeto de privilegios. No es de extrañar, pues, que de 1615 a 1625 los Moretus enviasen a Madrid libros por un valor de 50.000 ducados.

La industria editorial en España, según Jaime Moll, fue pequeña, muy dispersa geográficamente y con mercado reducido. Pocos autores pudieron pagarse los gastos de edición de un libro. En algunos casos un protector del escritor podía financiar la edición. Lo más frecuente fue la figura del librero–editor. Todo libro necesita un permiso de impresión, una licencia. Un autor puede pedir al rey la concesión de una exclusiva de edición para cierto número de años, ordinariamente diez: es el privilegio. Sólo el poseedor del privilegio —antecedente del actual derecho de propiedad intelectual— o aquél a quien éste fuere cedido podía con exclusiva editar la obra, en el territorio para el que había sido concedido.

En otros territorios se podía editar libremente. Comprando el privilegio —a veces se hacían otros tratos—, el librero–editor pagaba la edición. Podía ser un éxito y agotarse el libro en pocas semanas, con sucesivas reediciones, o un fracaso, acabando la edición en cartones o guardas en casa de los encuadernadores o en una pastelería u otra tienda para hacer cucuruchos. Como es natural que la intención del editor sea sacar ganancias del dinero invertido, además de recuperarlo, ayer —como hoy— pondrá atención en las obras que selecciona, intentará buscar las de presumible éxito y cuidará —en lo posible— de su más amplia difusión.

La importancia del olvidado editor es grande. Hay muchas obras por las que el autor logró privilegio real y en cambio nunca fueron editadas. El autor no encontró editor. Habría que intentar estudiar las causas. En muchos casos se conservan los originales. A veces son géneros ya sin éxito y los editores, que conocen el mercado, no quieren obras que no respondan a las apetencias de los lectores, los compradores de libros. Es interesante señalar la relación de editores con algunos autores, como también cuando un autor cambia de editor; quizá el nuevo pagaba mejor los originales: Juan de Montoya y Alonso Pérez con Lope de Vega; Blas de Robles y su hijo Francisco y Juan de Villarroel con Cervantes; Andrés de Carrasquilla con Salas Barbadillo; Pedro Coello en los últimos años de Quevedo, prolongándose sus ediciones —por acuerdo con su sobrino— después de su muerte.

En el primer tercio del siglo XVII abundarán las reediciones de una obra a cargo de dos o más editores. En la producción del libro, por supuesto, influyeron negativamente factores de índole industrial: elevadísimo precio del papel, impuestos elevados —sobre todo en el siglo XVII—, ideológicos —la presión censorial—.

Está demostrado que para que un libro fuera rentable en España tenía que tener una tirada de 1.500 ejemplares, mientras que la tirada media en Europa hasta 1500 fue de unos 400 ejemplares. Quizás el libro con mayor número de ejemplares por edición en los primeros años de la imprenta fue *Institutiones* de Nebrija, que pasó muy pronto de 500 a 1.200 ejemplares a lo largo de las múltiples ediciones que de esta obra se hizo en el siglo XVI. De alguna obra literaria se hicieron tiradas editoriales muy elevadas, como del *Psalteri* de Eiximenis, con 2.000 ejemplares.

Pero las lecturas no se limitaban a los libros. Su interés se dirigió, de modo especial, hacia los pliegos sueltos. El pliego suelto, compuesto por dos o cuatro hojas, recoge aproximadamente hacia 1560, sobre todo romances, glosas de romances, canciones, villancicos. Desde esa fecha y a lo largo del siglo XVII, el pliego suelto se especializa como subliteratura, en buena parte vendida por ciegos y con relaciones de crímenes, milagros y sucesos, en general de carácter truculento. Existe un claro desplazamiento de la temática y la lengua del pliego suelto cuando su material se incorpora a la literatura culta (aparición de cancioneros de romance y del romancero artificioso de Nucio, Sepúlveda, Fuentes y Burguillos hacia 1550 y presencia del romancero nuevo hacia 1580). La transmisión de la cultura (impresa o manuscrita) plantea múltiples problemas que ha estudiado muy bien Alberto Blecua.

Hay ediciones que prepararon los propios autores. Los poetas, en general, fueron reacios a la publicación de sus obras. De entre los más notables de la segunda mitad del siglo XVI sólo publican en vida Hurtado de Mendoza (1550), Alonso Núñez de Reinoso (1552), Montemayor (1554), Diego Ramírez Pagán (1562), Diego de Fuentes (1563), Jerónimo de Lomas Cantoral (1578), Pedro de Padilla (1580, 1585...), Fernando de Herrera (1582), Juan de la Cueva (1582), Joaquín Romero de Cepeda (1582), López Maldonado (1586), Damián de Vegas (1590), Vicente Espinel (1591), y Juan Rufo (1596).

En ediciones póstumas aparecen las obras de Silvestre (1582), Acuña (1591), Aldana (1591), Francisco de Madrazo (1617), Francisco de Figueroa (1625), fray Luis de León (1631), Francisco de la Torre (1631), y San Juan de la Cruz (1618 y 1627). Y las obras de Sebastián de Horozco, Eugenio de Salazar, Barahona de Soto, Baltasar del Alcázar, Mosquera de Figueroa y Pedro Laynez se publican a partir del siglo XVIII. Ninguno de ellos, si exceptuamos a Montemayor y a Silvestre, alcanzó más de dos impresiones, y lo normal fue una primera y única edición.

La mayor parte de las ediciones se hicieron sin la intervención del autor. Pocos años después de la muerte de Garcilaso, sus obras fueron publicadas por Boscán. En los casos de Francisco Aldana y Carrillo y Sotomayor, fueron sus hermanos los editores. Tribaldos de Toledo preparó la edición de Francisco de Figueroa; fray Luis de León y Francisco de la Torre fueron editados por Quevedo. La obra de Góngora fue también editada póstumamente. La obra en verso de Quevedo, fue publicada por González de Salas, amigo suyo. Parte de la poesía de Herrera fue editada por Pacheco. El teatro del siglo XVI no conoció, salvo notables excepciones —Encina, L. Fernández, Torres Naharro— la difusión impresa en vida de sus autores. Las obras de Gil Vicente fueron editadas por su hijo Luis. Muertos Lope de Rueda y Alonso de la Vega, algunas de sus obras las editó Timoneda.

En el siglo XVII, se produjo lo que Blecua ha calificado de revolución en materia de difusión teatral. Al igual que en el siglo anterior se siguen imprimiendo comedias sueltas, pero se tiende a las colecciones con doce comedias en general. En estas colecciones puede intervenir el autor o son los propios libreros quienes las compran a las compañías teatrales o las toman de manuscritos no siempre fidedignos. El autor compone una comedia que vende al director de la compañía, que a su vez distribuye copias entre los actores. Tras ser explotada económicamente por la compañía, el autor suele publicarla en las colecciones arriba mencionadas.

La novela como la poesía épica se difundió sobre todo de forma impresa. Habitualmente, en el siglo XVI fueron los propios autores quienes entregaron el original a la imprenta. Esto sucede con la mayoría de los libros de caballería, de novelas pastoriles o la llamada novela de aventuras o bizantina. Desde la publicación de la colección cervantina, lo normal es que los autores impriman sus novelas en un tomo constituido por varias obras. Generalmente son los propios autores quienes las entregan a la imprenta y no suelen conservarse manuscritos de estas colecciones.

Ciertas obras satíricas, en contraste, circularon manuscritas o fueron publicadas sin permiso del autor. Problemas muy complejos son los que presentan aquellos libros de espiritualidad que se transmitieron en forma manuscrita y que sólo en ediciones póstumas vieron la luz pública, como sucede con las obras de San Juan de la Cruz o de Santa Teresa. Las del primero —a excepción del *Cántico espiritual*, que no fue editado hasta 1628— fueron publicadas de los originales por fray Josef de Jesús María, General de los carmelitas descalzos, *por aver visto andar en manuscritos esta doctrina, poco correta y aun viciada con el tiempo, y con aver passado por muchas manos*. Las de Santa Teresa fueron supervisadas por fray Luis de León (Salamanca, 1587), que actuó como filólogo. Otro ejemplo: el *Audi filia* de Juan de Avila fue impreso por Juan Brocar en Alcalá en 1556 a costa del librero Luis Gutiérrez. En el prólogo de la impresión póstuma (1574) que prepararon sus discípulos, Juan de Avila insiste en que Brocar la había publicado sin su consentimiento. Sin embargo, el librero Luis Gutiérrez se había servido de un manuscrito que o bien era el que Juan de Avila disponía para imprimir, o bien una copia bastante fiel del mismo, pues la carta dedicatoria a don Luis Puerto Carrero, Conde de Palma, es la propia de un libro impreso y no de una dedicatoria para transmisión manuscrita. El libro fue prohibido tres años más tarde por el Indice de Valdés y fue refundido dos veces por el maestro Avila. Cinco años después de su muerte, sus discípulos publican el texto definitivo con el prólogo citado en que Avila niega haber autorizado la edición de 1556 ni tener noticias de ella.

La persistencia del manuscrito fue bien patente. El manuscrito siguió desempeñando utilísimas funciones como difusor de todo tipo de escritos.

Hay géneros como el de la lírica que han llegado hasta nosotros gracias a las copias manuscritas. Numerosísimas obras de teatro han podido sobrevivir a través de este medio de difusión al igual que bastantes obras comprometidas por su carácter satírico, político o religioso.

Generalmente, los aficionados a la poesía iban constituyendo pacientemente antologías manuscritas con las composiciones que se acomodaban a sus gustos. Estos cartapacios suelen llevar los títulos de Poesías Varias o Diferentes Poesías. Su difusión fue grande. Francisco de Figueroa no publicó sus versos, pero sus canciones figuran en numerosos manuscritos. Igual sucede con los cancioneros individuales que tuvieron escasa difusión. La excepción quizás sea la representada por Mendoza, Silvestre, Cetina o Acuña; fray Luis de León y Góngora, y en parte, Diego Hurtado de Mendoza, Herrera, Villamediana y Quevedo. San Juan de la Cruz y Santa Teresa tuvieron una difusión limitada a los cancioneros de tipo religioso para uso conventual.

El problema más grave que se plantea en la difusión manuscrita en cancioneros colectivos es el de la autoría. *La Epístola moral a Fabio,* por ejemplo, figura a nombre de muy distintos poetas. A fray Luis de León se le han atribuido poesías que nunca compuso. La lírica del Siglo de Oro poseía un marcado carácter público hoy inexistente. El romancero es el caso extremo de esa vertiente pública y social. La vida sentimental de Lope, por ejemplo, circuló cantada en romances por España hasta fechas recientes. Numerosos poemas se transmitieron a través del canto. Los poetas antiguos componían sus textos para que fueran leídos o escuchados de inmediato. Otras veces los poetas leían sus versos en público o enviaban copias a sus amigos o a los poetas consagrados para que diesen su aprobación. Las *Soledades* de Góngora fueron leídas por diversos críticos en quienes Góngora confiaba antes de difundirlas en copias manuscritas. La obra pronto, pues, se separaba del autor para convertirse en patrimonio colectivo.

La escasez de la conservación de manuscritos de obras de teatro se explica porque los autores vendían sus obras a los directores teatrales, quienes procuraban evitar la difusión de copias para que no fueran utilizadas por otras compañías.

En la novela la pervivencia del manuscrito fue menor. Sólo se observa en la primera mitad del siglo XVI entre los grupos cortesanos como el *Marco Aurelio* de Guevara. El caso del *Lazarillo*, del que se ha supuesto una transmisión manuscrita anterior a las ediciones, pero no se ha comprobado, debe incluirse en el grupo de aquellas obras ideológicamente conflictivas, como cierto tipo de sátiras —erasmistas o no— y tratados religiosos de amplia difusión durante la Reforma. La *Crónica* de don Francesillo de Zúñiga no se imprimió hasta el siglo XIX, y sin embargo, fue un texto tan difundido como los impresos. Y lo mismo sucede con la mayoría de las obras de Quevedo que, por diversos motivos, chocaron con la censura. La difusión de los *Sueños* antes de su publicación fue muy amplia e igualmente lo debió de ser *El Buscón*, y las obras más breves, del tipo de las *Cartas del caballero de la tenaza* y los panfletos políticos abundan en copias manuscritas.

Caso distinto es el de las obras de tipo religioso, que no vieron la luz pública por falta de interés de sus autores —como sucede con los ya mencionados de Juan de Valdés, Juan de Avila o Santa Teresa—, o por rozar temas que al mediar el siglo XVI eran conflictivos. Sabemos por los procesos inquisitoriales que las copias de estos textos fueron sumamente frecuentes. Sirvan de ejemplo los comentarios de fray Luis de León al *Cantar de los Cantares* y los de las obras de San Juan de la Cruz, Santa Teresa de Jesús, Sor María Jesús de Agreda, que no se circunscribieron sólo a ámbitos conventuales. Por lo que respecta a la historia, su difusión fue habitualmente impresa. Quizá las excepciones sean la *Guerra de Granada* de Hurtado de Mendoza, de la que se conserva medio centenar de manuscritos, las *Relaciones* de Antonio Pérez y algunas obras polémicas del P. Mariana.

Pero la cultura no sólo se transmitió por escrito. Chartier ha demostrado que en el Antiguo Régimen la lectura no siempre constituía un acto íntimo y silencioso. Era frecuente la lectura en voz alta ante un conjunto de oyentes. En la edición de la *Celestina* de 1500, se incluye un poema de siete estrofas que precisa cómo ha de leerse: ha de variarse el tono (leerá a veces con gozo, esperanza y pasión, a veces airado, con gran turbación), y encarga a todos los personajes (*pregunta y responde de todas, llorando y riyendo en tiempo y sazón)*. En el prólogo de la edición de 1507 se hace alusión a la pluralidad de opiniones sobre la lectura (*así que cuando diez personas se juntasen a oyr esta comedia, en quien quepa esta diferencia de condiciones, como suele acaescer. ¿Quién negará que aya contienda en cosa que de tantas maneras se entienda?*) Cervantes titula el capítulo LXVI de la 2.ª. Parte del Quijote: *Que trata de lo que verá el que lo leyera o lo oirá el que lo escuchase leer*.

La lectura en voz alta de los textos se lleva a cabo en el marco de las distintas formas de sociabilidad de la época: la familia, el viaje, la taberna, el salón... donde al mismo tiempo se suelen recitar cuentos o historias conocidas por unos u otros.

Cervantes en el Quijote evoca estas historias —las consejas— que le cuenta Sancho a D. Quijote y que es una muestra de la cultura de la recitación oral.

La cultura rural del Antiguo Régimen es una cultura oral en la que muchos de los que saben leer memorizan los textos para poderlos decir, contar, declamar...

La cuestión lingüística

La lengua de la producción editorial en la Barcelona de la segunda mitad del siglo XVI la ha podido determinar Javier Burgos —un total de 817 libros— a partir de los datos sobre los impresores catalanes que nos dio Millares Carlo. El cuadro de libros en latín, catalán y castellano es el siguiente:

Años	*Latín*		*Catalán*		*Castellano*		*Total*	
	N.º	*%*	*N.º*	*%*	*N.º*	*%*	*N.º*	*%*
1500-1509	32	61,53	17	32,69	3	5,76	52	6,36
1510-1519	28	46,66	26	43,33	6	10	60	7,34
1520-1529	18	48,64	12	32,43	7	18,91	37	4,52
1530-1539	9	26,47	19	55,88	6	17,64	34	4,16
1540-1549	12	35,29	13	38,23	9	26,47	34	4,16
1550-1559	11	27,5	19	47,5	10	25	40	4,89
1560-1569	55	41,35	36	27,06	42	31,57	133	16,27
1570-1579	29	34,11	20	23,52	36	42,35	85	10,40
1580-1589	39	28,67	14	10,29	83	61,02	136	16,64
1590-1600	32	15,53	17	8,25	157	76,21	206	25,21
TOTAL	265	32,43	193	23,62	359	43,94	817	100%

Se deduce, evidentemente, una irregular evolución de las tres lenguas. Mayoría del latín en las tres primeras décadas, escalada del catalán desde 1530 alcanzando su techo de 1550 a 1559, y ascenso fuerte del castellano desde esa fecha, alcanzando sus máximos en las dos últimas décadas, paralelamente al descenso del catalán.

Los ritmos son algo diferentes en la evolución de las lenguas de la producción editorial valenciana, que ha estudiado Berger. En Valencia, la castellanización fue más intensa y temprana aunque también disminuye más pronto, la hegemonía del latín fue total de 1510 a 1541 y el catalán tuvo mucha menos fuerza que en Barcelona.

Según Berger, de 1474 a 1489, se observa en Valencia una producción de un 33,33 % de obras en catalán y el 66,66 % en latín, sin ninguna obra en castellano. De 1490 a 1505 se amplía algo la producción en catalán (46,6 %), reduciéndose la latina (49,3 %) e iniciándose la impresión de obras en castellano (4 %). De 1510 a 1524 se produce el gran tirón castellano (45 %), con descalabro de la producción valenciana (26,25 %) y latina (28,7 %). De 1526 a 1541 sigue aumentando la producción castellana (50,06 %), descendiendo la catalana (15 %) y recuperándose el latín (34,2 %). De 1542 a 1564 el castellano (36,2 %) desciende notoriamente, recuperándose algo la producción catalana (18,9 %) y, sobre todo, el latín (44,8 %).

Luis Gil ha subrayado que el siglo XV español, pese a algunas figuras aisladas —Alonso de Cartagena, Fernán Pérez de Guzmán, el marqués de Santillana, Juan de Mena, Juan de Lucena *—dista de ser por su mentalidad y actitud frente a la Antigüedad clásica, el pórtico del Renacimiento español.* La perduración de los esquemas medievales es bien visible en las propias Constituciones de la Universidad de Salamanca. La ruptura con el legado de la Antigüedad producida por la invasión árabe en España es incuestionable. La vía del camino de Santiago, la reforma litúrgica que acabó con el rito mozárabe, la ocupación de las principales sedes espiscopales castellanas por prelados franceses no fueron estímulos suficientes para conectar con la tradición clásica.

Es, desde luego, cierto que los contactos culturales entre la

Europa latina y la España arabizada datan del siglo X. De 967 a 970 el monje Gerberto de Antillac, posteriormente elegido Papa con el nombre de Silvestre II, permanece en Cataluña, donde estudiaría matemáticas y astronomía bajo la dirección del obispo de Vic, Atton. Gerberto viajó a Córdoba, a la Córdoba musulmana, donde perfeccionaría su conocimiento de matemáticas. El rey catalán Borrell II envió dos embajadas a Córdoba en 971 y 974. La labor cultural del monasterio de Ripoll en la traducción de obras árabes al latín va a ser culminada en el siglo XI. La conquista de Toledo por Alfonso en 1085 coincidió con la influencia de Cluny y un importante movimiento europeizador en el mundo cristiano occidental del papa Gregorio VII. La actividad que desarrolló la Escuela de Traductores de Toledo permitió la versión al latín de las grandes obras de los filósofos árabes y buena parte del pensamiento clásico greco–latino, que había sido traducido y glosado previamente al árabe.

Pero el propio método usado en las traducciones —traslación intermedia al romance y excesivo literalismo— convirtió en poco ortodoxas muchas de estas traducciones. Roger Bacon, por ejemplo, criticó ásperamente las traducciones de la obra de Aristóteles que había hecho Miguel Escoto, diciendo que *si tuviera poder las haría quemar*. En cualquier caso, es evidente que las traducciones de las obras árabes no propiciaron un mejor conocimiento del pensamiento clásico —la filosofía escolástica, tan floreciente en Europa en el siglo XIII debió esperar en España hasta bien entrado el siglo XVI—, ni aproximaron a la sociedad española al conocimiento de las lenguas clásicas, que nunca gozaron de gran predicamento en la cultura española. En el siglo XVI, Huarte de San Juan se preguntaba significativamente: *¿En qué va a ser la lengua latina tan repugnante al ingenio de los españoles, tan natural a los franceses, italianos, alemanes, ingleses y a los demás que habitan el Septentrión; como parece que por el buen latín conocemos ya que es extranjero el autor y por lo bárbaro y mal rodado sacamos que es español?* El latín, hasta Nebrija —que se consideraba con razón el *debelador de la barbarie*, y el *primero en abrir tienda de lengua latina*— e incluso después del humanista cordobés, nunca se institucionalizó plenamente en la Universidad, pese al éxito editorial del *Diccionario* del propio Nebrija.

Navagero afirmaba que en las Universidades españolas se leían lecciones en castellano, salvo la de Alcalá, y que en la de Valladolid se explicaban en lengua vulgar hasta los textos latinos.

La situación fuera de la Universidad era, si cabe, peor. Los epistolarios de diversos padres jesuitas demuestran que el uso del latín en los Colegios de la Compañía era lamentable. Y eso que se era consciente de la idea del latín como lengua no corrompida y de carácter universal. Su función de instrumento internacional de comunicación en el siglo XVI era muy clara; Carlos V en 1543 recomendaba a su hijo Felipe: *porque reyes quantas tierras aveys de señorear, en quantas partes y quan distantes estan las unas de las otras y quan diferentes de lenguas, por lo qual sy les aveys y quereys gozar, es forçoso ser dellos entendidos y entenderles, y para esto no ay cosa mas necessarya ni general que la lengua latina*.

La lengua griega aún tuvo peor fortuna que el latín. Dejando aparte casos muy aislados, en los siglos XIII y XIV (los casos de Ramón Llull y Juan Fernández de Heredia), los contactos de los españoles con la lengua griega fueron mínimos, pese a acontecimientos políticos que aproximaron a ambas culturas (las embajadas a Tamerlán de Enrique III, las peripecias almogávares, etcétera). En el umbral del siglo XVI el conocimiento de la literatura griega seguirá siendo indirecto como en la Edad Media. Las dificultades se acrecentaron conforme avanzaba el siglo, al agriarse la polémica entre lingüistas y teólogos por la interpretación de la Escritura. El más encarnizado campo de batalla entre progresistas y tradicionalistas fue la Universidad de París, donde había una nutrida colonia española y portuguesa.

El helenismo pronto tuvo problemas. Celaya como rector de la Universidad de Valencia se opuso —infructuosamente, eso sí— al helenista Pedro Oliver como catedrático de griego y latín en la Universidad de Valencia. Varios helenistas tuvieron problemas con la Inquisición denunciados como presuntos luteranos por la iluminada Francisca Hernández en 1530, entre ellos Juan de Vergara. El debate en torno a la publicación del Demócrates entre Ginés de Sepúlveda (que hacía una espectacular defensa de la lengua griega) y los teólogos de Alcalá y Salamanca, en particular con Melchor Cano, es bien significativo de la tensión en que se vio envuelto el helenismo en nuestro país. Los helenistas de más talla fueron Francisco de Vergara y Pedro Juan Núñez. El griego fue una lengua poco y mal cultivada, que nunca fue bien conocida en España, ni siquiera por hombres como Quevedo que quisieron competir con Stephanus. Hasta el siglo XIX no aparecieron traducciones al español de obras griegas de Esquilo, Aristófanes, Heródoto, Demóstenes y Platón. En la segunda mitad del siglo XVI, mientras en España desaparecían los tipos griegos de las imprentas, Isaac Casaubon editaba la obra entera de Aristóteles y Henry Estienne pudo publicar, no sólo su monumental *Thesaurus*, sino 74 ediciones de autores griegos. El contraste diferencial es, pues, innegable.

Realmente asombra frente a Italia o Francia la escasísima cantidad de ediciones de clásicos grecolatinos llevadas a cabo por los españoles y asombra aún más el que las pocas que hubo se imprimieron fuera de España. Son aquí más frecuentes los manuales de divulgación, gramáticas y retóricas. Hasta 1540–50 se utilizaron los viejos textos traducidos de los siglos anteriores. Sólo desde esa fecha se van a hacer traducciones que responden a las exigencias estéticas del Renacimiento, traducciones que inicialmente serán en verso, para pasar a ser en prosa *ad usum scholarum* desde 1600, aproximadamente.

El latín fue, ciertamente, en el siglo XVI el vehículo de las grandes especulaciones doctrinales o filosóficas o de la información científica y, de hecho, la lengua del pensamiento erasmista. A lo largo del siglo XVI, sin embargo, el latín va a ir degenerando en la vacua orfebrería ciceroniana o en la trivial curiosidad de los pedantes o aspirantes a cultos. Paralelamente las lenguas nacionales demuestran su viabilidad literaria. En Europa surgen las defensas de estas lenguas (Pietro Bembo en *Prosa della volgar lingua* –1525–; João de Barros en *Diálogo am louvor da nossa linguagem* –1540–; Joachim du Bellay en *Defense et illustration de la lengua française* –1549–). En España estas defensas son precoces.

Nebrija que tanto hizo por la difusión del latín, fue un buen impulsor del castellano en su gramática castellana (1492). En la dedicatoria a la reina se expresa así: *Cuando bien conmigo pien-*

so, muy esclarecida reina i pongo delante los ojos en la antigüedad de todas las cosas que para nuestra recordación e memoria quedaron escriptos, una cosa hallo e saco por conclusión muy cierta: que siempre la lengua fue compañera del Imperio e de tal manera siguió que juntamente crecieron e florecieron e después juntos fue la caída de entrambos. Y aún añade, entre los provechos que puede reportar su obra el *que después que nuestra Alteza metiese debaxo de su jugo muchos pueblos bárbaros e naciones de peregrinas lenguas, e con el vencimiento aquéllos tenían necesidad de recibir las leies quel vencedor pone al vencido, e con ellas nuestra lengua; entonces por esta mi Arte podrían venir en el conocimiento della, como agora nosotros deprendemos el arte de la gramática latina para deprender el latín.*

El erasmista Juan de Valdés escribió su *Diálogo de la lengua* (1535) en defensa también de la lengua castellana a la que califica de *lengua tan noble, tan entera, tan gentil y tan abundante* expresando su admiración por Juan de Mena, Juan del Encina, Bartolomé Torres Naharro, Diego de Valera, La Celestina, los libros de caballerías, el Marqués de Santillana, Jorge Manrique y los autores del *Cancionero General.* Unos años más tarde, exactamente en 1582, Dámaso de Frías escribía su *Diálogo de las lenguas*, donde da por superado el contencioso con el latín y plantea la comparación del castellano con las demás lenguas peninsulares y las lenguas nacionales de los demás países, subrayando su rechazo a la tiranía del italianismo.

La batalla latín–lenguas nacionales la liquida fray Luis de León en *De los Nombres de Cristo* (1585). Fray Luis de León repudia el prejuicio del latín como lengua espiritual, defendiendo el uso del romance en cuestiones teológicas y espirituales; en la lengua vulgar de los primeros lectores fue compuesta la *Biblia*, destinada a ser pasto de todos ellos; y en su propia lengua vulgar la leían y comentaban los primeros cristianos, pues a las distintas lenguas vulgares se iba traduciendo a medida que el cristianismo se propagaba. En segundo lugar, arremete también contra el prejuicio del latín y de las lenguas clásicas en general como lenguas sabias, basándose en el concepto de *lengua madre* y de la igualdad original de todas las lenguas, cuya excelencia y jerarquía sólo dependen de las que sepan darle los que las usan. Así llama la atención en que *en lo que toca a la lengua, no hay diferencia, ni son unas lenguas para decir unas cosas, sino en todas hay lugar para todas*, recordando que todos los grandes escritores de la Antigüedad escribieron en sus respectivas lenguas vulgares. *Y esto mismo, de que tratamos, no se escribiera como devía por sólo escrivirse en latín, si se escriviera vilmente; que las palabras no son graves por ser latinas, sino por ser dichas como a la gravedad le conviene, o sean españolas o sean francesas; que si, porque a nuestra lengua la llamamos vulgar se imaginan que no podemos escrivir en ella sino vulgar y baxamente, es grandísimo error; que Platón escrivió no vulgarmente ni cosas vulgares en su lengua vulgar, y no menores ni menos levantadamente las escribió Cicerón en la lengua que era vulgar en su tiempo; y por decir lo que es más vecino a mi juicio, los santos Basilio y Crisóstomo y Gregorio Nacianceno y Cirilo, con toda la antigüedad de los griegos, en su lengua materna griega, que cuando ellos vivían la mamaban con la leche los niños y la hablaban en la plaza las vendedoras, escrivieron los misterios más divinos de nuestra fe, y no dudaron de poner en su lengua lo que sabían que no había de ser entendido por muchos de los que entendían la lengua; que es otra razón en que escrivan los que nos contradicen, diciendo que no son para todos los que saben romance estas cosas que yo escrivo en romance, como si todos los que saben latín, cuando yo las escriviera en latín, se pudieran hacer capaces de ellas, o como si todo lo que se escribe en castellano fuese entendido de todos los que saben castellano y lo leen.*

Y todavía arremete una vez más contra los que sobreestiman el latín por encima de la lengua vulgar: *Mas a los que dicen que no leen aquestos mis libros por estar en romance, y que en latín los leyeran, se les responde que les deve poca su lengua, pues por ella aborrecen lo que, si estuviera en otra, tuvieran por bueno. Y no sé yo de donde les nace el estar con ella tan mal; que ni ella lo merece, ni ellos saben tanto de la latina, que no sepan más de la suya, por poco que della sepan, como de hecho saben della poquíssimo muchos.* En la misma línea se manifiesta Pedro Simón Abril en sus *Apuntamientos* (1589).

La literatura religiosa, toda ella en lengua romance, contribuyó enormemente a popularizar y difundir ésta. Pero quizá no esté ahí su contribución más importante; se ha de ligar dicha contribución a los nuevos contenidos y al enriquecimiento subsiguiente del lenguaje para darles expresión. Los místicos buscaban una lengua alógica, que sirviera para expresar la inefabilidad típica del estado místico, y eso les llevó a emplear y potenciar la metáfora. De este modo, *la antigua sintaxis linear —oraciones en primera activa, características de las crónicas y gestas— se transformó en manos de los místicos en una sintaxis —oraciones subordinadas— que fue obra de su voluntad de estilo.*

Las sutilezas de los sentimientos místicos parece que necesitaban el alambicamiento del castellano, mucho más dotado para la metáfora que el latín. En cualquier caso lo que es evidente es que, en las últimas décadas del siglo XVI, el problema ya no radicaba en la confrontación latín–lengua vulgar, sino entre las diversas lenguas nacionales de la monarquía española y, en particular, la ofensiva del castellano como lengua monopolizadora del nacional–catolicismo imperial.

Conocemos bien la problemática de la castellanización en Catalunya y Valencia. En el uso cotidiano, la difusión del castellano en Cataluña, fue desde luego, escasa. Incluso la aristocracia catalana continuaba usando el catalán, como revela la correspondencia entre los Borja y los Requesens. En 1555, el obispo Jubí se dirigía en catalán a San Ignacio de Loyola.

En 1621 Pere Gil precisaba que el castellano en Cataluña sólo era conocido en unas pocas ciudades como Barcelona, Tarragona, Gerona, Tortosa, Lérida, Perpinya, Vilafranca del Penedés, Cervera, Tárrega, Fraga; y Cisteller aludirá en 1637 a que *Tortosa, Girona, Lérida, a todo tirar, solo ven dos o tres días y bien de passo algún castellano es por milagro...*

Incluso en la documentación oficial permaneció vigente el catalán hasta la *Nueva Planta*. Todas las actas y constituciones de Cortes se redactaron en catalán. Los discursos de *proposició* del rey en las diversas Cortes se leyeron en catalán.

Pese a esta vigencia del catalán, es un hecho incontestable la emergencia del castellano. Como ha dicho A. Comas, a lo largo del siglo XV se dibuja un proceso progresivo de bilingüismo en muchos escritores catalanes (Guillem de Torroella, Enric de Villena, Francesc Alegre, Romeu Llull, Narcís Vinyoles, Bernat

Fonollar, Joan Ribelles, Francesc Moner, Joan Escriva), el cual culminará con la castellanización prácticamente total de Boscán, Timoneda, Ferrandis de Heredia, Milá, etcétera.

La castellanización fue más intensa y precoz en el País Valenciano que lo fue en el Principado y las Islas Baleares. A comienzos del siglo XVI el proceso de la castellanización estaba bastante desarrollado, como revela la edición del *Cancionero General* de Hernando del Castillo (1511, 1514), o los elogios al castellano del poeta Vinyoles (1510). La razón quizá haya que verla en la propia debilidad estructural del catalán en el reino de Valencia. No hay que olvidar que, desde la llegada de Jaime I (1238), el país era trilingüe, catalán–castellano–árabe. Mientras que el árabe convivía con el castellano y el catalán, estos dos últimos eran simples vecinos en espacios comarcales monolingües. El catalán era la lengua de la mayoría de los valencianos, pero la vecindad tan próxima del castellano, agravada por las continuas emigraciones, restaría fuerza propia a la lengua dominante.

Pero, sobre todo, la situación se complica con la represión de las Germanías que va a efectuar la virreina Doña Germana de Foix. Es bien sabido que uno de los primeros documentos oficiales del reino de Valencia redactados en castellano fue precisamente el indulto concedido por Doña Germana a los *perayres* el 23 de diciembre de 1524. No es que, como a veces se ha dicho, la corte del emperador y concretamente Doña Germana tuvieran el decidido propósito de sustituir el catalán por el castellano, imponiendo éste a los perdedores de la revuelta como una pena más que añadir a las múltiples penitencias de la derrota.

El proceso, como ha señalado J. Fuster, es mucho más sutil. El agradecimiento de los nobles salvados hacia los vencedores tendrá un corolario linguístico. La castellanización valenciana será promovida por la aristocracia, tanto en el habla cotidiana como en el uso literario. Lluis Milá y Joan Ferrandis de Heredia, en la corte de los duques de Calabria, representan los hitos más significativos de esta proyección de la aristocracia valenciana hacia la cultura castellana. El catalán va siendo fosilizado como mero testimonio folklórico.

Dejando aparte el caso valenciano, la decadencia de la lengua catalana ha sido atribuida generalmente a la castellanización de la monarquía. El acceso de los Trastamaras al trono —Compromiso de Caspe— ha sido considerado como uno de los factores básicos. Riquer, en contraste, piensa que la causa principal hay que vincularla a la desaparición de la Corte de Barcelona, que no volverá hasta el fugaz período 1705–1711 del reinado de Carlos III, el archiduque de Austria. La conversión de la empresa de Italia, catalana al principio, en española, el medievalismo y la vida poco brillante de las Universidades catalanas, el propio carácter intrínseco del humanismo catalán... son factores también invocados por Riquer para justificar la polémica decadencia.

Desde luego la seducción mimética de la *lengua del rey* en función del castellanocentrismo progresivo de la monarquía es indiscutible.

Pons d'Icart decidió publicar en castellano su *Libro de las grandezas de la ciudad de Tarragona* (1572) redactado en catalán *no porque tenga yo por mejor lengua ésta* (la castellana) *que la catalana, ni que otras, mas como sea natural del invectísimo rey Felipe, señor nuestro, está más usada en todos los reinos.*

Jordi Ventura ha subrayado la incidencia de la Inquisición en el proceso de alienación valenciana a la cultura castellana. A nuestro juicio, sin embargo, hay que minimizar la trascendencia represiva de la Inquisición en el ámbito de la lengua. Atribuir a los inquisidores una beligerancia idiomática superior a la de los obispos que fueron castellanos o al aparato gubernativo de los sucesivos virreyes nos parece arriesgado. Los procesos inquisitoriales antes de mediados del siglo XVI están escritos en catalán. La Inquisición no planteó respecto al idioma ningún *casus belli.* La castellanización de la Inquisición sólo se impone desde 1560 paralelamente a la castellanización general.

La primera recomendación que conocemos de castellanización de los procesos inquisitoriales la expresa el inquisidor de Cataluña, licenciado Gaspar Cervantes, un aragonés, en 1560 en los siguientes términos: *Ante todas estas cosas se advierte de un grande inconveniente que a mi parecer ay en los procesos del secreto y es que todas las informaciones que los dichos comissarios toman las rescriben en lengua catalana, la qual para acatarla a leer el inquisidor a menester uno y dos annos y assi el que viniere a visitar esta Inquisición no puede bien ver ni visistar los proces-*

sos, ni aún los inquisidores entenderlos, me paresce que attento que los catalanes comunmente entienden bien nuestra lengua y los más dellos la hablan, que las desposiciones se escribiessen en lengua castellana, si no fuese quando el testigo ninguna cosa entendiese de ella que es cosa impossible y también que todos los processos en el secreto se escribiessen en la dicha lengua castellana...

El inquisidor Sotosalazar en su visita a la Inquisición en Valencia en 1567 establecía que *en todas las Inquisiciones se ha de guardar una misma forma y orden de proceder... y que en los negocios de la fe todo se proceda en lengua castellana.*

La confrontación del catalán con el castellano se va a hacer esencialmente en dos niveles: la enseñanza oral y la imprenta. Sólo en el período 1640–1652, de ruptura política con Castilla y anexión a Francia, los catalanes ganaron la batalla. Significativamente, un acuerdo político de 1641 prohibió la oratoria sagrada en castellano. La rendición de Barcelona a Felipe IV en 1652 acabaría con los intentos de promoción del catalán de la oligarquía catalana más culta. De nuevo, el trasvase de religiosos de las distintas órdenes de una y otra provincia generalizaría los sermones en castellano y haría inviable la catalanización literaria de la burguesía catalana.

Los mayores agentes de la castellanización fueron los miembros de las órdenes religiosas. Con un equipo de brillantes oradores en castellano, acapararían los mejores púlpitos de Cataluña. El problema no era nuevo. La reforma de las órdenes religiosas llevada a cabo desde el reinado del Rey Católico había tenido su incidencia linguística. En 1493 se envió al prior de San Benito de Valladolid a reformar la comunidad benedictina de Montserrat, dejando como superior al primo del cardenal Cisneros, García Ximénez de Cisneros, quien impuso a la fuerza la reforma de otros tres monasterios catalanes. El monasterio de Pedralbes planteó grandes resistencias *a causa de voler dominar en Barcelona castellans i treure los naturals de la terra*. Montserrat se convirtió en sucursal de Valladolid, y no es casualidad que se publicaran en este monasterio, en 1500, los primeros libros en castellano citados en todo el ámbito catalán: el *Directorio* de las horas canónicas y el *Exercitario* de la vida espiritual, escritos por el abad Cisneros e impresos por Joan Luchsner.

La confrontación de la defensa del uso del catalán y la del castellano en las predicaciones del clero estallará en los concilios provinciales eclesiásticos de Tarragona de 1635–1636 y 1636–1637, el primero convocado por el arzobispo de Tarragona, Fray Antonio Pérez, y el segundo por el obispo de Barcelona, García Gil Manrique.

El debate, sin embargo, siguió a la conclusión del concilio de 1636–1637 a través de los memoriales de Juan Gómez Adrín, representando el punto de vista castellano, y Diego Cisteller, en el otro extremo.

El eje de la polémica radicó en la opuesta valoración de las respectivas lenguas castellana y catalana; los puntos en discusión fueron esencialmente tres:

1) La difusión en Cataluña de una y otra lengua. Cisteller defendió el principio tridentino de que las predicaciones se adaptasen a la capacidad de sus gentes y al hecho de ser el catalán la lengua natural del país y, por lo tanto, la única que aseguraba la comprensión de los sermones. La implantación del castellano era mínima, según él, en Cataluña *—quitada Barcelona, en ninguna de las demás poderse llamar común el castellano; no podrá negar ser casi totas les persons doctes i de calitat les que entenen la castellana—*. En contraposición, Gómez Adrín sostuvo que el castellano era totalmente conocido en Cataluña, como lo probaban la edición de libros en castellano y la antigüedad de la predicación del castellano en Cataluña, y por otra parte subrayaba la abundancia de forasteros en Cataluña que no entendían la predicación en catalán.
2) La valoración de la capacidad expresiva de una y otra lengua. Gómez Adrín valoraba la predicación en castellano porque creía que esta lengua era el vehículo idóneo para el estilo tan reivindicado en su momento, el culteranismo, y consideraba al catalán incapaz de alcanzar ese nivel estilístico.

Cisteller asumía las limitaciones estilísticas del catalán defendiendo por contra la predicación sin artificios, con el único objeto de llegar a todo el mundo: *Al pueblo no se le han de predicar altanerías, al doto se le ha de brindar con algo de brillante, que esso nadie lo niega, pero nada de ello arguye se halla de predicar en castellano (...)* Esta identificación de la lengua catalana con la sencillez no fue asumida por todos los catalanes. El culteranismo también invadiría la lengua catalana. Andreu Bosch se opuso radicalmente a la supuesta *cortedad* del catalán.

3) La significación política de ambas lenguas. La postura castellana de Gómez Adrin es contundente: la lengua castellana es la lengua de la monarquía.

Aun cuando Cisteller no polemizara sobre este punto, a lo largo del concilio provincial eclesiástico de Tarragona de 1636–1637 se levantaron voces, como las de Francesc Broquetes y Pau Durán, para negar que la lengua castellana fuera general para toda España.

El examen de la producción editorial pone en evidencia la ya señalada escalada del castellano, que desde mediados del siglo XVI intenta imponer su hegemonía superando al latín, hasta entonces la lengua dominante. Sólo en el período 1641–1647, en los primeros años de la separación y en plena euforia catalana, se observa cierto grado de catalanización en la producción literaria impresa y manuscrita. En cuanto a sermones impresos en este período, sólo se encuentra uno en castellano; y la edición de los libros de piedad en catalán alcanza asimismo su cota más alta en estos años.

Pero, incluso en plena revolución catalana, la hegemonía del castellano en la literatura impresa sigue siendo clara. La ley del mercado se imponía a la propia conciencia nacional. La mayor parte de los panfletos catalanistas escritos en el contexto de la revuelta catalana lo fueron en castellano, desde la *Proclamación católica* a la *Noticia universal de Cataluña*, pasando por obras de catalanes tan poco sospechosos de castellanofilia como Gaspar Sala, Martí i Viladomor y Josep Font.

La diglosia que posiblemente afectó a las capas cultas catalanas y la importancia del mercado se pusieron múltiples veces en evidencia como razones de la preponderante edición en lengua castellana. Narcís Peralta, en su *Memorial* de 1620, afirmaba con tristeza: *Harta desdicha para mí por no ser nuestra lengua entendida fuera de los límites de este Principado, aviniéndose la castellana entendido tanto, que ya parece competir con la latina.* El dominico Reginaldo Poch, en su *Vida y milagros de San Galderique*, explica en el prólogo: *Catalán soy, y de tal me precio, que si escrivo en castellano es porque es más entendida la lengua y desseo se entienda la devoción destos santos*. Josep Font, en su *Catalana justicia contra las castellanas armas*, señala que *viendo que por lo que tenía el papel de epítome, y con lenguaje catalán no podía llegar a todos y menos las extranjeras naciones, a tener cognición de nuestra justicia me fiscalicé, para escrivirla en castellano.*

En el anónimo folleto *Secretos públicos* se justifica así su edición en castellano: *No obstante que la primera y segunda impresión fue en lengua catalana, pero por quanto lo castellano es más conocido de las naciones extranjeras, ha aparecido conveniente que la tercera fuesse castellana, para que lo restante del mundo sepa la justicia y razón que en todos sus procedimientos ha tenido Cataluña.*

El mercado contó, ciertamente, mucho en la difusión de la lengua castellana.

El consumo cultural

La alfabetización, desde la célebre encuesta Maggiolo realizada en 1877–1880, ha sido cuantificada a través de las firmas de los individuos. La validez del *test* de la firma ha sido objeto de un amplio debate entre los historiadores franceses. Yves Castan no ve en las firmas más que una producción funcional derivada de la práctica judicial, notarial y comercial, pero sin deducir una correlación con la alfabetización de la población. La seguridad y la elegancia del trazo no testimoniarían más que la frecuencia del ejercicio. Meyer y Schofield han disociado, por su parte, el aprendizaje de la lectura y de la escritura considerando que los firmantes serían menos numerosos que los que saben leer, pero más abundantes que los que saben escribir. Es significativo que a este respecto el curandero morisco Román Ramírez tenía una buena biblioteca, leía con dificultad y no sabía escribir.

Las fuentes documentales para el estudio de la alfabetización en España en los siglos XVI y XVII son, como ha señalado Bennassar, de tres tipos: judiciales, fiscales y notariales. Entre los primeros, sobresalen especialmente los procesos inquisitoriales, de los que se han estudiado especialmente, a este respecto, los de Toledo y Córdoba. Las preguntas a los acusados son del más elevado interés porque deben aclarar si saben leer, escribir, tienen libros y cómo son las oraciones fundamentales.

Entre las fuentes fiscales, destacan el registro del *donativo*, un impuesto que incluía a la propia nobleza, y que recogía con la precisa mención de la contribución pagada por cada cabeza de familia la firma, cuando sabían hacerla, lógicamente.

Las fuentes notariales, bien explotadas en España en esta dirección por C. Larquiè, permiten, a través de las capitulaciones matrimoniales, el conocimiento de la formación cultural de los contrayentes o si los testamentos aportan información acerca de la formación del testador o de sus parientes.

Bennassar ha llevado a cabo una encuesta que cubre Galicia, la zona cantábrica, Castilla la Vieja, la región de Toledo, la Alta Andalucía, Cádiz y Madrid. Sus conclusiones son optimistas, ya que homologan la situación cultural de España a la de los países de la Europa Occidental de su tiempo. El clero, desde luego, era un estamento del que todos sus miembros sabían leer y escribir. Los hombres de la nobleza sabían leer y escribir en una proporción del 90 al 95 %. Sus mujeres sabían leer en su mayoría, pero no escribir. Letrados y grandes mercaderes sabían leer y escribir en su totalidad. Sus mujeres serían sólo alfabetizadas parcialmente.

Artesanos, pequeños comerciantes y labradores sabían leer y escribir en proporciones que oscilan entre la tercera parte y la mitad. En estas profesiones el analfabetismo sería masivo. Jornaleros y peones serían casi todos analfabetos. La formación de los criados domésticos depende naturalmente de la de sus amos.

Geográficamente es evidente una mayor alfabetización en las zonas urbanas que en las rurales. El subdesarrollo de Galicia (de un 10% de analfabetos) llama la atención.

En 1635, los porcentajes de alfabetización de los cabezas de familia llegan hasta el 30 y 35 por 100 en los puertos cantábricos de Santander y San Vicente de la Barquera, y se mantienen en torno a un 25 a 30 por 100 en poblados de Castilla la Vieja. La situación en Madrid es muy diferente, homologable a París o cualquier ciudad avanzada de Europa.

La cultura es principalmente aristocrática: los ambientes de la nobleza, de la administración, de los grandes cargos y empleos, el ejército en sus grados superiores, saben leer y escribir. También la Iglesia, por supuesto. La frontera entre la alfabetización y el analfabetismo se sitúa en el mundo del pequeño comerciante, del tendero y del artesano.

El concepto de lectura en el Antiguo Régimen es complejo, como vienen subrayando Chartier y Roche. Es evidente que caben múltiples formas de lectura: oralizada y silenciosa, solitaria y pública, letrada y popular, de texto y de imagen...

Los estudios de lectura se han venido basando en la contabilización de los libros de las bibliotecas que figuran en los inventarios de bienes. Esta línea metodológica que en Francia se viene siguiendo desde la clásica obra de Febvre y Martin (1958), plantea problemas que no podemos obviar. El primero y principal es que todo libro poseído no es propio ni tiene por qué ser leído; todo impreso en casa privada no tiene por qué ser un libro; la lectura por otra parte no implica la compra de libros. Son muy complejas las motivaciones que inciden en la posesión del libro. Puede ésta ser un signo de superioridad social que permite un reconocimiento, al margen por completo de su lectura. La diferencia que François López estableció entre el *lisant* (lector potencial) y el *lecteur* (lector efectivo) es indiscutible. En cualquier caso, hoy por hoy no tenemos mejor fuente que los inventarios de libros para conocer la lectura *posible* en la España del Siglo de Oro.

¿Quiénes tenían libros en la sociedad española del siglo XVI? Los inventarios de bibliotecas han sido explotados últimamente por varios historiadores. Bennassar en sus exploraciones en el Valladolid del siglo XVI localizó 45 bibliotecas sobre 385 inventarios (el 11,7 %). El estudio mejor es el de Philip Berger en la Valencia del siglo XVI. Gracias al peritaje de 2.849 inventarios, Berger ha podido establecer que 577 hombres sobre 1.715 (el 33,6 %), 125 mujeres sobre 774 (el 16,14 %) poseían libros, con un total de 10.168 volúmenes. Entre estos 577 hombres aparecen 97 artesanos y 88 comerciantes, lo que no es en modo alguno desdeñable. Sobre todo, el número promedio de los libros poseídos aumenta regularmente, cualquiera que sea el grupo social considerado: por ejemplo, los artesanos que tienen libros, poseen solamente 2,8 unidades como promedio, de 1490 a 1518, pero el promedio sube a 5,1 unidades de 1519 a 1560, lo que representa casi el doble; después de 1531 la cantidad media de libros entre los comerciantes que los poseen se eleva a 11,2 unidades. El cuadro aportado por Berger es bien expresivo:

	N.º de lectores (porcentaje)		*N.º de libros (media)*	
1474-1560	*Hombres*	*Mujeres*	*Hombres*	*Mujeres*
Ind. textil	14,08	9,35	3,62	3,25
Otras pro. manu	10,12	8,77	6,03	2,77
Total prof.	11,80	9,03	4,28	3
Comercio	32,33	12,12	6,93	3
Servicios	30,64	7,69	4,21	2
Total prof. ter.	31,94	10,86	6,46	2,8
Medicina	82,35	9,09	46,37	3
Derecho	72,22	16,66	38,52	2,4
Otras prof. libe.	71,41	0,0	45,40	0
Total prof. libe.	74,49	14,28	41,03	2,5
Nobleza	55,97	53,27	16,46	4,04
Clero	88,23	0,0	27,38	0
Prof. no identificadas	28,75	16,63	4,53	1,75
TOTAL GENERAL	33,64	16,14	20,02	3,24

En definitiva, la lectura es un hecho excepcional en Valencia en el trabajador manual (aunque existen excepciones), mientras que interesa a un individuo sobre tres en el sector terciario, a uno sobre dos en la nobleza y al menos a tres sobre cuatro entre los profesionales liberales y el clero.

En nuestras pesquisas en los inventarios catalanes hemos encontrado menor porcentaje de lectores (26, %) —Valencia y Valladolid fueron quizá ciudades con especial desarrollo cultural a lo largo de todo el siglo XVI— con similar distribución social. Sólo constatamos una menor proporción del clero (74 %) y de la nobleza (sólo un 38 %) y mayor presencia de las profesiones manuales (10,6 %).

La introducción de la imprenta no supuso cambio sustancioso en el volumen de lectores. Lo que cambió fue el número de libros de las bibliotecas mucho más que el número de lectores.

Las bibliotecas con más de 500 títulos fueron excepcionales. Incluso las de 50 libros pueden considerarse grandes.

De los 31 inventarios de bibliotecas particulares de los que se hace eco Maxime Chevalier de 1504 a 1660, sólo 8 contaron con más de 500 títulos. Destacan las del marqués de Zenete en 1523 (631 títulos), el duque de Calabria (795 en 1550), D. Juan de Ribera (1.990 en 1611), el inquisidor general, Arce y Reinoso (3.880 en 1665), el condestable de Castilla, D. Juan Fernández de Velasco, el médico Jerónimo de Alcalá Yáñez... Quizás la biblioteca más impresionante fue la del conde–duque de Olivares, con 2.700 libros impresos y 1.400 manuscritos. Bennassar estudió la biblioteca del profesor de filosofía de Valladolid, Pedro Enríquez, con 852 títulos. El pintor Velázquez tenía 154 libros en 1660; el inca Garcilaso de la Vega, 188 títulos; Idiáquez, el secretario de Felipe II, tenía 496; el duque de Calabria, 795; Fernando de Rojas, el autor de *La Celestina*, 97, y la reina Isabel la Católica, 253 libros.

¿Qué leían los lectores del siglo XVI? La hegemonía del libro religioso es indiscutible. Bennassar, sin embargo, se ha esforzado en subrayar que los libros religiosos distan mucho de ser mayoría en algunas bibliotecas por él analizadas (el 25 % en la biblioteca de Pedro Enríquez, el 11,1 % en la del noble Francisco Idiáquez...), al mismo tiempo que ha destacado la importante presencia de las obras de derecho, historia y ciencias, lo que ha llevado a insistir en el singular gusto humanista que demuestran muchas de estas bibliotecas. Naturalmente, las diferencias del gusto cultural de las diversas clases sociales son muy grandes. En Barcelona, es visible que los oficios manuales se caracterizan por una presencia dominante del libro religioso, sobre todo litúrgico (breviarios, misales, horas) con gran afición, asimismo, a las vidas de santos (en especial *Flos sanctorum* de Varezze, libro del que había una edición catalana en 1494 y que tuvo un éxito extraordinario, así como *Historia de Josep*, de Roiç de Corella). El sector terciario también sería gran lector de obras religiosas con abundante presencia de obras de moral —espejo de bien vivir, imagen de la vida cristiana...— aunque ya empieza a emerger la afición, particularmente en la clase mercantil, por la literatura clásica —Esopo, Cicerón—, la literatura prerrenacentista y renacentista española —Juan de Mena, Juan Rufo, Montemayor, Guevara, Torquemada, Fr. Luis de Granada— y la historia de América —López de Gómara y Fernández de Oviedo—. La nobleza también hace gala de interés por la temática religiosa, aunque alejada de la devoción popular y orientada hacia las obras clásicas filosófico–teológicas de S. Agustín o Santo Tomás, con la novedad de su afición por la literatura caballeresca, las obras clásicas —Virgilio, Salustio y Ptolomeo, Terencio, Plutarco, Séneca, Cicerón...— y una diversificación de géneros notable —Furió Ceriol, Dioscórides, Ausias March—.

El clero destaca por su alto nivel cultural. La mayor parte de los clérigos tenían obras de Nebrija, Valle o Erasmo. Asimismo vemos las obras clásicas de la literatura grecolatina y las obras clave del Renacimiento italiano (Dante, Petrarca) y del Renacimiento español (*Celestina,* Torquemada, Guevara...). La literatura religiosa consumida era, por otra parte, de contenido teológico o místico más profundo.

Las profesiones liberales hacen gala de una gran especialización temática (derecho o medicina) y una impresionante formación cultural en la que destacan las obras clásicas grecolatinas y la mejor literatura de la época. Las obras religiosas se caracterizarán por la abundante presencia de la mística.

Respecto a la lengua, es visible la hegemonía del latín. Según Bennassar, casi el 90 % de los libros de Pedro Enríquez están escritos en latín; el 6,64 % en castellano, y el 1,4 % en italiano. Respecto de la biblioteca de Francisco Idiáquez, el 45,9 % de los libros están en latín, el 28 % en italiano, el 13,6 % en español, el 5,7 % en francés...

Respecto a las bibliotecas barcelonesas que conocemos, también es evidente el peso específico del latín. De la biblioteca de Pere Serra sólo el 6 % no son en latín (2,9 % castellano, 2,5 %

italiano y tan sólo 0,6 % en catalán). En la biblioteca de Pere Prats hay un 23 % de los libros en idiomas nacionales (castellano, catalán, italiano y francés). La presencia del catalán es ciertamente ínfima en las bibliotecas del ámbito catalán, incluso por debajo del propio ritmo de la producción tipográfica en este idioma.

¿Podemos deducir unas tendencias consumistas determinadas en la lectura del siglo XVI? Observamos una inclinación hacia la medicina tradicional, con poca presencia de las obras más avanzadas. Sólo en el siglo XVII aparecen, y de modo muy escaso, Vesalio y Fracestori. La filosofía presente es esencialmente escolástica con particular predominio de Aristóteles. Abunda el derecho canónico y civil, de todo tipo de corrientes, así como el derecho local.

La literatura clásica griega (Homero, Sófocles, Heródoto, Sócrates, Diógenes, Esopo) y romana (Ovidio, Terencio, Juvenal, Cátulo, Tíbulo, Plauto, Virgilio) está muy representada. De la literatura catalana aparecen con cierta frecuencia Ausias March, Ramón Llull y Francesc Eiximenis. En los años finales del siglo XV y comienzos del siglo XVI se constata una tendencia al relevo de las bibliotecas de la literatura medieval por los exponentes de la penetración renacentista, aunque ciertamente la penetración de este influjo fue lento, más precoz en la Corona de Aragón que en Castilla.

La literatura italiana cuenta con seguidores que leyeron abundantemente a Petrarca, Dante y Boccaccio. De la literatura española de la época se refleja una gran afición hacia el género caballeresco (*Amadís de Gaula, Orlando enamorado*), con una notable y progresiva proyección hacia la literatura castellana. En las bibliotecas de los agermanados valencianos se encuentran obras tan castellanas como la obra de Juan de Mena, o *La Celestina*. En Barcelona, el librero Joan Trinxer tenía siete ejemplares de *La Celestina*, y el canónigo Serafí de Masdovelles tenía dos *Celestinas,* el *Cortesano,* la *Tebaida,* el *Marco Aurelio*... entre otros.

El género literario inicialmente más presente sería la poesía, apareciendo mucho más tarde la novela y el teatro (Cervantes, Lope, Calderón). La religión de una polarización hacia temas lúdicos (vidas de santos) o funcionales (manuales de confesionario...) acabará cargándose de valores tanto místicos como retóricos.

¿Cómo evolucionó la lectura en el siglo XVII? Tenemos mucha menos información de la lectura en este siglo. Por lo que hemos podido observar, parece ratificarse el predominio de las profesiones liberales y el clero entre los poseedores de libros, así como su control de las bibliotecas más grandes. La primera novedad que presenta este siglo es la progresión en el número de libros de las bibliotecas. A medida que se consolida la imprenta aumenta considerablemente la densidad de las bibliotecas, aunque no aumenta el número de lectores. En Barcelona destacan en el siglo XVII la biblioteca del jesuita Nicolau Miquel en 1648 (1.113 volúmenes), el también jesuita Jacobo Aymeric en 1625 (761 volúmenes) y los nobles Hipólito Muntaner (557 volúmenes) en 1626 y Jerónimo Santjust en 1636 (442 volúmenes). Pero lo que nos parece más destacable de las bibliotecas que hemos visto en este siglo es que no hemos detectado la incidencia de la Contrarreforma en los términos tan negativos como tradicionalmente se ha dicho. La presencia de Erasmo, Agrícola, Arias Montano, Vives, junto a los Nebrija o Valla, nos demuestra una prolongación del Renacimiento en el consumo del libro en pleno siglo de producción barroca. Quizá el consumo siguió unas pautas más lentas que las de producción editorial y en cualquier caso la mixtificación de las corrientes ideológicas que representan los libros de las bibliotecas hacen difíciles pronunciamientos rotundos respecto a las tendencias consumistas en cada momento. Tampoco parece tan clara, como pretende Bennassar, la frontera entre las bibliotecas cultas y populares. La *lectura popular* que ha explorado M. Chevalier a través de las declaraciones de los pasajeros que se dirigían a Indias, revela una polarización de la lectura hacia *Amadís de Gaula, Roldán el Furioso, Diana, La Celestina, Guzmán de Alfarache*, la obra de Guevara, o Timoneda... Obras todas ellas que abundan también en las bibliotecas de canónigos, nobles y letrados. La separación del gusto de las élites respecto a las clases populares estuvo particularmente borrosa en el siglo XVII.

Es difícil precisar los *best-sellers* de la España del Siglo de Oro. El indicador de las ediciones no siempre es suficiente. El *Lazarillo*, la novela sin duda más conocida del siglo XVI no tuvo gran éxito editorial. Tres ediciones separadas (Burgos, Alcalá y Amberes) en 1554 y una segunda parte publicada en Amberes un año después, revelan el impacto inicial del libro, que fue incluido en el Indice de 1559. El libro no se reeditaría en España hasta el siglo XIX. Sólo se reimprimió varias veces en España una edición expurgada con el título de *Lazarillo de Tormes castigado*. El *Lazarillo* fue popular en Europa: se tradujo al francés ya desde 1560 y volvió a traducirse tres veces en el siglo siguiente.

Sobre la popularidad del *Lazarillo* polemizaron Rumeau y Rico. Suscribimos la tesis de este último respecto a que la popularidad del libro, pese a las escasas ediciones, se debió a la frecuente lectura pública del mismo a través de los circuitos de cultura oral.

Tuvieron enorme éxito editorial, ciertamente, las novelas de caballerías. El *Amadís de Gaula* de Rodríguez de Montalvo, publicado en 1508, contó con unas treinta ediciones entre 1508 y 1517. Durante los cien años que siguieron a la publicación del Amadís aparecieron unas cincuenta novelas de caballerías en España y Portugal.

Se publicaron con un promedio de casi una por año entre 1508 y 1550; a éstas se les añadieron nueve entre 1550 y 1558 y sólo tres más antes de la publicación del *Quijote*. Sabemos que Santa Teresa y San Ignacio leyeron profusamente en su infancia y juventud la novela de caballerías.

El ideal caballeresco estuvo vigente a lo largo del siglo XVI. Maxime Chevalier ha reducido la condición de público de estas novelas a la clase social de los hidalgos y a algunos otros que hallarían en la ficción caballeresca *una imagen depurada y embellecida de la sociedad aristocrática* a la vez que satisfarían una *nostalgia de la libre aventura*, imposible para una nobleza cortesana y sumisa.

También tuvo gran éxito la novela pastoril. La atracción por este género refleja la actitud casi mística ante la naturaleza que encontramos en el Renacimiento, producto del resurgir del neoplatonismo florentino del siglo XV. La *Diana* de Montemayor y

Gil Polo, así como la *Galatea* de Cervantes conectan plenamente con los *Dhialoghi d'amore* de León Hebreo, con varias ediciones en Italia. Krauss ha planteado la relación entre el éxito de la novela pastoril y el auge económico de la Mesta. Sea como sea, lo cierto es que la difusión de este género se prolonga en el siglo XVII.

Otro de los autores de *best-sellers* en el siglo XVI fue fray Antonio de Guevara. Su éxito se debió, posiblemente, al carácter misceláneo de sus obras, tan del gusto de la época, y a su recreación un tanto ficticia del mundo antiguo o actual. Su *Relox de Principes* (Valladolid, 1529), se tradujo al francés (1531) y al inglés (1532) y a otras lenguas con enorme y probada influencia sobre Montaigne.

Aunque la mejor de las obras de fray Luis de Granada sea *Introducción al símbolo de la fe*, la que más éxito editorial tuvo fue *Guía de Pecadores* (1.ª edición de 1556, 2.ª edición 1567), que por haber sido incluida en el Indice de 1559 exigió unos cambios por parte de su autor de una a otra parte. También tuvo problemas con la Inquisición San Juan de Avila. Sus *Avisos y reglas cristianas* se incluyeron en el Indice de 1559. Su *libro espiritual* se editó furtivamente, contra la voluntad de su autor, en Alcalá en 1556; luego, ya autorizada por el autor en Madrid en 1557. Después en 1554 hubo dos ediciones en Toledo y Madrid y otra en 1575 en Salamanca con notables cambios respecto a las anteriores al *Indice*.

Santa Teresa de Jesús escribió sus obras para sus compañeras de convento en su mayoría de escasa instrucción, por encargo de sus superiores, con lenguaje abierto y coloquial. Se publicaron con retraso respecto al momento en que fueron escritas, todas ellas póstumas.

La poesía *a lo divino* de San Juan de la Cruz pese a las formas poéticas cancioniles y los metros tradicionales no debió de ser muy leída en su tiempo por su propia trascendencia. Posiblemente tuvieron más éxito otros místicos como el franciscano Fr. Juan de los Angeles. Es curiosa, desde luego, la tendencia a la revaloración de la literatura profana *a lo divino,* género en el que se especializó Sebastián de Córdoba.

En el ámbito del pensamiento, las numerosas traducciones

de Erasmo revelan el éxito editorial de éste. El erasmismo se proyectó mayoritariamente fuera de España como revelan las ediciones de los Valdés, Vives o Andrés Laguna. El neoplatonismo de León Hebreo y Fox Morcillo tuvo también gran fortuna editorial fuera de España. También el *Diálogo de la dignidad del hombre* de F. Pérez de Oliva tuvo mayor proyección en Italia que en España.

Algunos contemporéneos como Pedro de Rhúa escribieron cartas indignadas a Guevara reprochándole su invención de falsas autoridades en sus epístolas y obras históricas.

También tuvieron buen éxito editorial los *Coloquios* del sevillano Pedro de Mexía que gozaron de gran predicamento en la literatura europea del siglo XVI.

En cualquier caso, en el siglo XVI se leyeron muchas novelas del siglo anterior. *La Celestina, Grisel y Mirabella*, y la *Cárcel de Amor* de Diego de San Pedro tuvieron impresionante éxito editorial.

Esta prolongación de la difusión de la literatura del siglo XV en el siglo XVI se da también en la poesía. El *Cancionero General* (Valencia, 1511), compilado por Hernando del Castillo, alcanzó un gran éxito comercial, con siete ediciones en el siglo XVI, conteniendo sólo poesía del siglo XV. La nueva poesía de Garcilaso y Boscán fue aceptada rápidamente por el círculo cortesano y las ediciones y comentarios que sobre ellas hicieron Brocense (1574) y Herrera (1580) demuestran su difusión.

La poesía popular, en cualquier caso, siguió teniendo enorme éxito. Así lo revelan las ediciones del *Cancionero de Romances* (1548) y *Flor de varios romances nuevos* (1589). La literatura espiritual siempre contó con mucho público consumidor. El *Contemptus mundi* de Kempis (traducido en Zaragoza en 1490) fue uno de los libros más leídos a lo largo del siglo XVI. La obra más popular de fray Luis de León fue *La perfecta casada*, escrita con motivo de la boda de Doña María Varela Ossorio y que es un comentario del capítulo XXXI de los Proverbios.

Lo mismo podemos decir de la mayor parte del pensamiento escolástico. La polémica Molina-Báñez ya la tan trascendente en su época, un *best-seller* con 17 ediciones entre 1597 y 1636, obra del P. Suárez (*Diputationes Metaphisicae*) tuvieron mucho más eco fuera de nuestras fronteras que en el mercado nacional.

El teatro tardaría en imponerse como el género literario más popular. La explosión popular de este género sería ya en el siglo XVII. La fecundidad de Lope —unas 314 comedias— será la respuesta a una demanda masiva de comedias de capa y espada en la que la honra y la fe entran en juego. Lo nacional y lo popular, entrañablemente unidos, dan carácter al arte dramático de Lope. El paso de las obras por los corrales era muy rápido, el público estaba ávido de novedades y se cansaba enseguida cuando una comedia duraba más de unos pocos días en escena, por buena que fuese. A este público sirvieron los Guillén de Castro, Jerónimo de Enciso, Pérez de Montalbán, Tirso de Molina, Vélez de Guevara, Ruiz de Alarcón... y tantos dramaturgos. El personaje protagonista de *El burlador de Sevilla* de Tirso alimentó los donjuanes europeos de Molière, Camille, Pushkin, Guerra Junqueiro, Dumas y otros literatos europeos. El *Condenado por desconfiado* del propio Tirso puso al alcance de todos los públicos la polémica teológica sobre la naturaleza de la gracia divina entre los seguidores de Molina y de Báñez.

Calderón alternará las representaciones para palacio con las realizadas en corrales. A partir de 1642 escribirá más autos sacramentales que comedias, tras ordenarse sacerdote en 1651 se limitó a trabajar para la corte, escribiendo ópera y zarzuelas.

En vida de Calderón se publicaron un total de 48 comedias suyas en cuatro partes y un volumen con doce autos sacramentales. La popularidad de Calderón fue menor que la de Lope, quizá por su propia técnica teatral mucho más compleja y refinada, su preocupación por los problemas morales trascendentes, su ubicación del palacio como centro dramático, su progresiva tendencia al simbolismo y la abstracción... Calderón transforma los sentimientos en ideas, los celos degeneran en venganza, el honor adquiere un tono retórico y declamatorio.

La *Comedia de fábrica* de Moreto o la obra de Rojas Zorrilla, de la escuela calderoniana, participaron de este relativo distanciamiento popular del teatro calderoniano.

La novela picaresca tuvo enorme desarrollo popular en el siglo XVII. El éxito del *Guzmán de Alfarache* de Mateo Alemán fue enorme. Editado en Madrid en 1599, se reimprimió inmediatamente en ediciones legales y fraudulentas y hasta motivó la publicación en 1602 de una segunda parte escrita por Mateo Luján de Saavedra (seudónimo del abogado valenciano Juan Martí). El éxito de la picaresca se debería a su propia vertiente sociológica, ya que se pone el acento en tensiones y problemas coetáneos tales como la obsesión por la limpieza y la honra y las expectativas de ascenso social de unas clases bloqueadas sociológicamente. Del *Guzmán* se hicieron tres traducciones al francés por separado que llegaron a alcanzar un total de 18 ediciones en el siglo XVII; la traducción alemana se cifra en diez ediciones y la inglesa en seis. También se tradujo al holandés, italiano y latín.

Otras novelas picarescas de gran éxito fueron la *Historia del Buscón*, de Quevedo (Zaragoza, 1626, 1.ª edición), que se diferenció del *Guzmán de Alfarache* por su falta de comprensión moral, su final abierto y una militancia aristocrática que le lleva a fustigar el supuesto arribismo del personaje, Pablos. Asimismo tenía gran difusión la obra de Vicente Espinel, sobre el escudero Marcos de Obregón, y la anónima *Vida y hechos de Estebanillo González*.

Cervantes, genio tardío, ya que produjo la mayor parte de su obra en sus últimos diez años de vida —la 1.ª parte del Quijote, a los sesenta años— vio al final de su vida reconocido su éxito por el público. El *Quijote* se reimprimió cinco veces en 1605. En 1614 se publicó una segunda parte apócrifa, bajo el nombre de Alonso Fernández de Avellaneda. Hasta el siglo XVIII el Quijote sólo fue visto como una obra maestra de la comicidad. Su patetismo sólo lo reconocieron los lectores a partir del siglo XIX. Aunque D. Quijote fue muy leído, Cervantes ejerció una influencia mayor sobre la literatura española a través de sus doce *Novelas Ejemplares*, y su última novela, *Persiles y Segismunda* (seis ediciones en su primer año de publicación, 1617, ya muerto Cervantes). La banalización de la novela, a medida que va avanzando el siglo XVII es un reflejo de la sociedad para la que fue escrita: una sociedad en decadencia que va durmiéndose en la irresponsabilidad y la frivolidad, la apariencia y el ceremonialismo. La poesía alcanzó su cumbre en este siglo. La nómina de poetas es amplísima. La voluntad oscurantista de Góngora no sería muy popular. De hecho, Góngora quiso editar su obra a instancia del conde–duque de Olivares en 1623, pero murió en 1627 sin verla publicada. La primera edición de sus obras la hizo Lope de Vicuña en 1627. En cualquier caso la obra de Góngora suscitó múltiples comentarios como los de García de Salcedo Coronel y José Pellicer. Al lado del Góngora culterano, hay que tener presente el Góngora sencillo de las composiciones amorosas, romances, letrillas y villancicos.

También el conceptista Quevedo compuso una poesía satírica y jocosa, destacando sus romances en jerga de germanía, voluntariamente grotescos. La obra que en vida de Quevedo tuvo más ediciones fue *Política de Dios, gobierno de Cristo y tiranía de Satanás*. Quevedo quería publicar sus Sueños en 1610; pero el censor dictaminó en contra de su publicación, considerando irreverentes algunas de las citas que había en ellos de las Sagradas Escrituras. Tras un cierto forcejeo, la censura aprobó finalmente su publicación en 1612, y entonces aparecieron sendas ediciones en los varios reinos que componían la Corona de Aragón (Aragón, Cataluña y Valencia). En Castilla no se publicaron, sin embargo, hasta quince años más tarde, en 1627, por el tiempo en que se vio metido en la apasionada polémica por el patronato único de Santiago. Esta obra alcanzó gran divulgación y renombre; pero Quevedo, presionado por el Santo Oficio, tuvo que hacer una edición expurgada de los *Sueños* (Madrid, 1631), en que éstos cambiaron de título y además iban acompañados de otros trabajos. Esta edición llevaba el título de *Juguetes de la niñez*.

También Gracián tuvo problemas con la censura. Cuando empezó a publicar lo hizo bajo el seudónimo de Lorenzo Gracián y sin permiso de sus superiores. Le fue tolerado, incluso cuando publicó de la misma manera *El político D. Fernando el Católico* (Zaragoza, 1640); *Arte de ingenio* (Madrid, 1642), su versión revisada con nuevo título *Agudeza y arte de ingenio* (Huesca, 1647). Sin embargo, cuando a despecho de las advertencias publicó las tres partes de *El criticón* (Zaragoza, 1651; Huesca, 1653; Madrid, 1657) sin permiso y bajo el antiguo seudónimo —aunque, quizás con la esperanza de ablandar a sus superiores, tuvo el cuidado de someter a su aprobación su obra devota *El comulgatorio* antes de ser publicada en 1655 (Zaragoza)— fue reprendido severamente, privado de su cátedra de Escritura y enviado a cumplir penitencia a Graus en 1658. Aunque su posterior traslado a Tarazona significó cierta rehabilitación, su disgusto fue tal que intentó abandonar la orden. Le fue negado el permiso y murió en diciembre de 1658.

Las obras de Gracián están presentes en Europa desde muy pronto. Apenas se publican en el siglo XVII, empiezan a traducirse y poco a poco van apareciendo en todas las lenguas del Continente. En la vanguardia de esas traducciones aparece Francia, donde ya en 1645 se publicó una traducción del *El Héroe*; más tarde, en 1684, se publicó en París con el título de *L'Homme de coeur* una traducción del *Oráculo manual y arte de prudencia.* A partir de ahí Gracián va a ser conocido en Inglaterra, Italia y Alemania, hasta convertirse hoy —después de Cervantes y Galdós— en uno de los tres escritores españoles más leídos y traducidos de todo el mundo.

Entre todos los países europeos, sin embargo, probablemente son Francia y Alemania los que de forma más profunda han recibido la influencia de Gracián. En Francia, éste ha sido la principal fuente de inspiración de sus moralistas como La Rochefoucauld y la Bruyère, donde los préstamos son evidentes. La Bruyère conocía la lengua española y cuando en 1688 publica sus *Caractères,* en varios pasajes es evidente la influencia de Gracián. Por lo que se refiere a La Rochefoucauld, también los préstamos del *Oráculo manual* son evidentes en sus *Maximes* (1655), y aunque en este caso la influencia no podía ser directa por desconocer nuestra lengua, muy bien pudieron venir a través de su amiga y confidente madame de Sablé, que conocía el juego de las máximas, es decir, que los asistentes al salón debían proponer ideas o pensamientos previamente esbozados; sabemos que algunas de las máximas utilizadas por madame de Sablé eran meras traducciones e imitaciones de las de Gracián.

Hay otro aspecto de la presencia de Gracián en la literatura francesa que no podemos dejar de mencionar y es su función como inspirador a Gracián y que su *Candide* ofrece grandes semejanzas con *El Criticón*. Pero la influencia es aún menos indudable en las grandes novelas pedagógicas francesas, de las cuales *El Criticón* es un antecedente indudable; de él proceden *El Telémaco*, de Fenelón, las *Aventuras del joven Anacarsis*, de Saint Barthelemy, y el *Emilio*, de Rousseau.

También Gracián ejerció gran influencia en Alemania, a través de Schopenhauer y Nietzsche. La admiración de Arthur Schopenhauer por Gracián es bien conocida. Schopenhauer tradujo el *Oráculo manual*, aunque el libro no se vería publicado hasta 1862.

Al hablar de *El Criticón,* lo considera como *quizá la más grande y la más bella alegoría que había sido escrita jamás.* Su incidencia en el libro fundamental de Schopenhauer, *El mundo como voluntad y como representación,* es indudable no sólo por semejanza de las ideas, sino por su repetida mención.

A través de Schopenhauer la influencia de Gracián llega también a Federico Nietzsche, el cual debe al aragonés probablemente su predilección por la expresión aforismática, y su impulso a la concisión. Algunos críticos han visto en el *Oráculo manual* traducido por Schopenhauer el origen de algunos de sus aforismos.

Un género muy popular en el siglo XVII fue la sátira. La insatisfacción social corrió por los canales de la sátira. *El pasajero,* de Suárez de Figueroa, *Guía y avisos de forasteros que vienen a la corte*, de Liñán y Verdugo, *Los peligros de Madrid*, de Ramiro de Navarra, *El día de fiesta por la mañana* de Juan de Zabaleta... son buen testimonio de este género de gran éxito popular.

La Inquisición y la cultura

El 1 de noviembre de 1478 el pontífice Sixto IV concedía a los Reyes Católicos la facultad de nombrar dos o tres inquisidores en Castilla. El 27 de septiembre de 1480 los Reyes Católicos aplican esta prerrogativa y nombran a Miguel Morillo y Juan de San Martín inquisidores de Castilla, instalándose en Sevilla en enero de 1481. En diciembre de 1481 el rey Católico nombra dos inquisidores para la Inquisición de Valencia y dos para la Inquisición de Aragón. El papa Sixto IV, en abril de 1482, se veía forzado a asumir la institucionalización inquisitorial en la Corona de Aragón. Tras diversos conatos de volverse atrás en esta decisión, la situación se consolidó con el nombramiento de fray Tomás de Torquemada como inquisidor general tanto para la Corona de Castilla como para la de Aragón. Había nacido la Inquisición moderna.

El número de procesados por la Inquisición ha sido muy discutido. Llorente estimó un total de 348.021. Hoy el conocimiento de fuentes como los registros de causas de fe, que lamentablemente sólo existen desde 1550 a 1700, nos permiten concluir que la cifra de Llorente es exagerada. Basándose en diversas especulaciones, la cifra global de procesados por la Inquisición española hasta su desaparición en 1833 debió ascender a unos 150.000, menos de la mitad de las cifras aportadas por Llorente.

El ritmo represivo no sería idéntico a lo largo del tiempo. J. P. Dedieu atribuyó cuatro tiempos diversos a la actividad represiva del Tribunal de Toledo, que el propio historiador generalizó a todos los tribunales. Estos tiempos serían: 1480–1525: gran intensidad represiva dirigida sobre todo a los judaizantes; 1525-1630: actividad represiva sostenida, polarizada especialmente hacia cristianos viejos (fundamentalmente por delitos ideológicos y brujería) y cristianos nuevos moriscos (sobre todo en tribunales de Valencia); 1630–1720: reducción de la actividad del Tribunal hasta la reactivación del antijudaísmo en la primera década, en función de los judaizantes portugueses, y 1720–1833: ralentización absoluta del funcionamiento del Santo Oficio.

Ciertamente el número de procesados sería mucho mayor en el siglo XVI que en el XVII. La tipología global de delitos registra un predominio de los cristianos nuevos, judíos o moriscos (cubrirían la mitad del total de procesados por la Inquisición), seguido de los delitos ideológicos (la tentación de pensar) en sus distintas expresiones de luteranismo, proposiciones heréticas, blasfemias... con un 35 %, y tan sólo un 15 % de delitos de naturaleza relacionada con el sexo (solicitaciones, bigamia, sodomía...) Pero insistimos en que, de hecho, únicamente contamos con registros seriados y por lo tanto cualitativamente fiables en la segunda mitad del siglo XVI y en el siglo XVII. En este período 1550–1700, Jaime Contreras y Gustavo Henningsen han precisado la siguiente tipología delictiva:

Judaizantes	5.007	Proposiciones heréticas	14.319

Moriscos	11.311	Bigamia	2.790
Luteranismo	3.499	Solicitaciones confesionario	1.241
Alumbrados	149	Ofensas Sto. Oficio	3.954
Supersticiones	3.750	Varios	2.979
TOTAL	49.092		

Por tribunales los procesados se distribuían así:

Barcelona	3.047	Córdoba	5.564
Cartagena	699	Granada	883
Cerdeña	767	Llerena	4.241
Lima	1.176	Canarias	974
México	950	Murcia	1.736
Sicilia	3.188	Valladolid	557
Valencia	4.540	Galicia	2.203
Toledo	5.564	Sevilla	2.117

Pero la represión inquisitorial no se deja sentir sólo a través del número de procesados. La incidencia de la Inquisición sobre la sociedad va mucho más allá de la cifra de procesados directamente por el Santo Oficio. La cultura se vio notablemente afectada pese al corto número de personas relacionadas con ella que se vieron involucradas en procesos inquisitoriales.

El significado de la incidencia de la Inquisición, sobre la cultura española de los siglos XVI y XVII ha sido muy polémico. La discusión, como es sabido, arranca del siglo pasado, planteándose especialmente en los debates de las Cortes de Cádiz y en torno a la valoración del presunto retraso científico español. Hoy los términos de la polémica se configuran sobre todo respecto al nivel de eficacia real que tendría la voluntad supuesta del Santo Oficio. Los trabajos de Márquez y Alcalá han venido últimamente a ratificar la imagen de la eficacia negativa de la acción cultural de la Inquisición contra lo que historiadores como Defourneaux o Parker habían sostenido.

Los testimonios de diversos autores de la época avalan esta imagen. Nebrija escribía en la dedicatoria de su *Tertia Quinquagena* estas palabras: *¿Qué sino será el mío que no sé pensar sino* *cosas difíciles, ni acometer sino arduas, ni publicar sino las que me dan más disgustos? (...) ¿Qué hacer en un país donde se premia a los que corrompen las Sagradas Letras, y, al contrario, los que corrigen lo defectuoso, restituyen lo falsificado, y enmiendan lo falso y erróneo se ven infamados y anatematizados y aun condenados a muerte indigna si tratan de defender su manera de pensar? (...)¿He de decir a la fuerza que no sé lo que sé? ¿Qué esclavitud o qué poder es éste tan despótico? (...) ¿Qué digo decir? Ni escribirlo encerrado entre cuatro paredes, ni murmurarlo en voz baja en un agujero de la pared, ni pensarlo a solas te permiten.*

Treinta años más tarde, en plena persecución antierasmista, desde su retiro seguro de Brujas, en Bélgica, temeroso de aceptar la cátedra vacada en Alcalá diez años antes al morir Nebrija, Juan Luis Vives (1492–1540) dice así en su última carta a Erasmo: *Vivimos en tiempos difíciles en los que no podemos ni hablar ni callar sin peligro. En España han sido detenidos Vergara y su hermano Tovar y otras ilustres personalidades; en Inglaterra, lo han sido los obispos de Rochester y Londres y Tomás Moro (...)*

Por esas fechas escribía al mismo Vives el hijo del entonces Inquisidor general Manrique, llamado Rodrigo como su bisabuelo, el héroe de las Coplas de Jorge, apesadumbrado al conocer el encarcelamiento de Vergara:

Cada vez resulta más evidente que ya nadie podrá cultivar las buenas letras en España sin que el punto se descubra en él un cúmulo de herejías, de errores, de taras judaicas. De tal manera es esto así que se les ha impuesto silencio a los doctos; y a aquellos que corrían a la llamada de la erudición les ha inspirado, como dices, un enorme terror.

Otro notable humanista, Pedro Juan Núñez, escribe al cronista aragonés Jerónimo Zurita: *Y lo peor de todo es que querían* (los inquisidores) *que nadie se aficione a estas letras humanas por los peligros, pretenden ellos, que en ellas hay: de que así como enmienda un humanista un lugar de Cicerón, así enmendará uno de la Santa Escritura; y diciendo mal de los comentadores de Aristóteles, hará lo mismo de los doctores de la Iglesia. Estas y otras semejantes necedades me tienen desatinado, que me quitan las ganas de pasar adelante.*

A finales del siglo XVI, el P. Juan de Mariana, en uno de sus *Siete tratados*, incluía esta frase, refiriéndose precisamente al proceso de fray Luis de León: *Quebró los ánimos de muchos tal suceso, considerando en riesgo ajeno la tormenta que amenazaba a quienes libremente afirman lo que pensavan.*

La Inquisición no participó en el control de las licencias previas de los libros que se imprimían, licencias que, desde 1502, correspondían al Consejo de Castilla, salvo en el corto período 1521–1538. Su beligerancia se centró en vigilar la circulación y venta de libros y codificar lo legible, catalogando lo ilegible en una serie de Indices de libros prohibidos. Pero ya, desde 1497, los Inquisidores habían demostrado su preocupación ante los libros *en hebraico* y las Biblias en romance. En 1500, Cisneros llevó a cabo una espectacular quema de libros árabes en Granada. A partir de 1521 la censura inquisitorial se va a concentrar en Erasmo y Lutero.

El primer catálogo de libros prohibidos lo publica la Sorbona en 1544. Después, en 1546 publica otro la Universidad de Lovaina. En septiembre de 1547 el inquisidor Valdés reimprimiría el Indice de la Universidad de Lovaina con un apéndice de obras españolas que no se ha encontrado. En 1551 se editó un primer Indice inspirado en este catálogo de Lovaina.

El 2 de enero de 1558, los señores del Consejo hicieron en Valladolid un auto de fe con una serie de libros acumulados en la Suprema: allí se quemaron obras de Constantino Ponce de la Fuente, del doctor Juan Pérez, de Juan de Valdés, de Osiander, de Erasmo, de Fuchs, y algunos libros supersticiosos. Hogueras semejantes se levantaron en Aragón, también por orden del Santo Oficio.

En el mes de marzo hubo en la corte una reunión de juristas y de teólogos para tratar lo que se debía hacer con los dichos libros. De allí salió una censura muy solemne que se mandó leer y publicar en el reino, intimando, so pena de excomunión *latae sententiae*, el cumplimiento de las órdenes inquisitoriales emanadas sobre este punto.

Esta censura era antecedente inmediato de la famosa ley de sangre que dictaba Felipe II el 13 de septiembre de 1558. En ella se condenaba a pena de muerte a cualquier persona que introdujera en el reino libros en romance impresos fuera de él sin licencia firmada de orden del rey y refrendada por los miembros del Consejo Real. Idéntica sanción recaía sobre los editores, autores y poseedores de tales libros y sobre quienes pusieran en circulación clandestinamente manuscritos de los herejes. El primer Indice, propiamente autónomo, de la Inquisición fue el de 1559.

El Indice de 1559 se apoyó en el de 1551 con las listas complementarias emanadas de la Suprema, y los títulos de las obras requisadas en 1551. Comprende un total de 670 prohibiciones, divididas según la lengua (latín, romance y flamenco, alemán, francés y portugués). Compuesto con gran rapidez, de entre sus notas más características conviene citar la no inclusión en la parte castellana de autores protestantes de primera fila (Wicleff, Escolampadio, Lutero, Calvino, Bucero, Melanchton), que sólo aparecen en la parte latina; la repetición de los títulos franceses y alemanes que figuraban en el de 1551; la abundancia de biblias prohibidas, libros de horas y múltiples obras en lengua española —16 títulos— de los autores espirituales más leídos en Europa (Taulero, Mantua, Herpe, Savonarola, Ryckel, Erasmo); la presencia de gran parte de la Patrística (Durando, Cayetano, Orígenes, Teofilacto, Tertuliano, Caetano), de los escritores de la antigüedad pagana (Luciano, Aristóteles, Platón y Séneca) y, como novedad más expresiva, la inclusión de figuras tan celebradas como fray Luis de Granada (su *Devocionario*), el beato Juan de Avila, San Francisco de Borja y el arzobispo Carranza (su *Catecismo*).

Los escritos castellanos pueden dividirse así: textos de la Sagrada Escritura en lengua vulgar (18), catecismos o doctrinas cristianas (13), libros de horas (20), oraciones (10), tratados de espiritualidad (36), escritos de polémica religiosa (14), libros de historia (2), un tratado de botánica y otro de medicina. Sólo se encuentran 19 obras de carácter literario, cuatro de las cuales nos son desconocidas porque han desaparecido (*La Glosa nuevamente hecha*, de Baltasar Díaz, *La peregrinación de Hierusalem*, de Pedro de Urrea, la *Farsa de dos enamorados*, y la *Comedia Orfea*). Entre las obras literarias presentes descatan las de Torres Naharro, Gil Vicente, Juan del Encina, Francisco de las Natas, Jaime del Huete, *El Lazarillo*, *Diálogos de Mercurio y*

Carón, *La Resurrección de Celestina*, obras de burla del *Cancionero General* y un par de farsas.

El Indice de Valdés se confeccionó al margen por completo del Indice del mismo año 1559 de Paulo IV. Valdés no recogió las aportaciones formales del pontificio (la delimitación de prohibido total y parcial, entre otras) y las disonancias de sus contenidos respectivos fueron abundantes, quizá con una mayor polarización del español hacia las obras de los clásicos grecolatinos, muchos de los cuales olvida el Papa (Hipócrates, Demóstenes, Cicerón, Aristóteles) y, en contraste, un mayor relieve en el pontificio de las obras renacentistas o prerrenacentistas olvidadas por Valdés (Dante, Valla, Maquiavelo, Rabelais). El catálogo de Paulo IV triplicó en número la relación de libros de Valdés.

El Indice de Trento del Papa Pío IV, realizado en 1564, no tuvo incidencia en España. Se publicó tardíamente en 1568 y sin poner ningún énfasis en su difusión.

Desde el año 1567, la atención española se concentró en los Países Bajos, que el Duque de Alba se debatía por mantener unidos política y religiosamente a la corona de Felipe II. Para controlar el avance de la herejía en aquellos países, se promulgó en 1571 un nuevo Indice, en el que había trabajado un centenar de expertos bajo la dirección de Arias Montano. Su originalidad consistía en que era expurgatorio.

En 1583, el Inquisidor Quiroga publicaba un nuevo Indice de libros prohibidos que tenía como complemento uno expurgatorio. En éste colaboró básicamente el Padre Mariana. Su huella es notable en las catorce reglas que constituyeron la primera parte del Indice y en la abundancia de datos con que se pretende identificar cada una de las piezas prohibidas; Mariana quiso que se evitaran a toda costa las cláusulas generales, que hacían difícil la aplicación del catálogo.

Aparte de la atención concedida a las diferentes ediciones de la Sagrada Escritura, el Indice de Quiroga es el primero en ofrecer una lista de *nombres de heresiarcas, renovadores, cabezas y capitanes de herejías*, con la expresa finalidad de que éstos no sean confundidos con los autores católicos que los comentan e impugnan, ni con aquellos que añaden, por su parte, anotaciones, prólogos, apéndices y censuras. Los libros de los herejes son, sencilla y llanamente, prohibidos; los otros, basta con que sean expurgados. La *Propalladia* de Torres Naharro, *El Lazarillo* y el *Cancionero General*, condenados en 1559, son permitidos por Quiroga, una vez expurgados.

La influencia en la estructura formal del Indice de Trento sobre el Indice de Quiroga es indiscutible, pero sus catorce reglas plantean respecto al citado índice peculiaridades dignas de relatar:

1) No aparece mención de lo que en Trento constituía la Regla 7.ª: *libri, qui res lascivas seu obscenas ex professo tractant, narrant aut docent*. La regla de Quiroga que más se parece es la 10.ª, que se limita a prohibir libelos y pasquines infamatorios y canciones o coplas que traten con irreverencia las Sagradas Escrituras.
2) Se amplía el ámbito de la heterodoxia, al incluir en la regla 4.ª los libros de judíos o moros y al prohibirse en la regla 7.ª todos los libros de horas en romance.
3) Se pone un vigor especial en la identificación de nuevos métodos de infiltración ideológica (reglas 10.ª y 12.ª: persecución de panfletos y de retratos, monedas o medallas) y se presta atención singular a los libros no directamente heréticos, pero sospechosos (regla 11.ª: libros sin nombre de autor; regla 13.ª: libros de católicos con errores).
4) Se simplifica drásticamente la cuestión de la lengua: regla 14.ª: *Y porque en este catálogo se prohiben libros en diversas lenguas y se podría dubdar si los prohibidos en una se deven tener por prohibidos en otra, por evitar escusas e inconvenientes, se declara que los libros que se prohiben en una lengua, se entienda ser prohibidos en otra cualquiera vulgar*.

La preocupación por las ediciones de biblias es prioritaria en el Indice de Quiroga. Se prohiben las ediciones realizadas por extranjeros, pero sobre todo se fija la atención en las biblias traducidas al castellano por protestantes españoles (Francisco de Enzinas, Jerónimo de Vargas, Pérez de Pineda, Casiodoro de Reina, Cipriano de Valera). Las biblias ya habían merecido una Censura general en 1554, en la que se incluían 73 ediciones prohibidas. La oposición inquisitorial a todo lo que significara novedad, a la modernidad, en definitiva, fue frontal. Las prohibiciones de la Biblia fueron mucho más lejos que las del propio Concilio de Trento y los sistemas católicos de vigilancia de otros países europeos. Nunca se imprimió la famosa *Biblia de Alba*, versión del Antiguo Testamento por un rabino de Guadalajara hacia 1430, ni el Nuevo Testamento en la versión castellana de Martín de Lucena. Se quemaron todos los ejemplares impresos de la traducción de la Biblia al catalán que había hecho Bonifacio Ferrer.

El Nuevo Testamento sólo fue conocido en la adaptación de fray Ambrosio de Montesinos. El Antiguo Testamento fue divulgado sólo a través de los sermones. Sólo desde 1580 se traducen los Salmos.

Nunca circularon por España las cuatro biblias castellanas impresas fuera, en el siglo XVI, por heterodoxos españoles que aspiraban a acercar al pueblo lector la *palabra de Dios*. La posición inquisitorial española fue también expresamente manifestada en una de las *Reglas* a la cabeza de los Indices. He aquí su formulación en el Indice de Zapata: *Como la experiencia haya enseñado, que de permitirse la sagrada Biblia en lengua vulgar, se sigue (por temeridad, ignorancia, o malicia de los hombres) más daño que provecho: se prohibe la Biblia con todas sus partes impresas o de mano en cualquier lengua vulgar*. Hasta 1790 no se produjo en España, la España católica, ninguna traducción castellana íntegra de la Sagrada Escritura.

En el ámbito de las ciencias, es patente que nombres como los de Mercator y Munster, Libavis y Mizauld, Gessner, Muslerius, Kepler, Tycho Brahe, aparecen con significativos expurgos de algunas obras. No Galileo, pronto retirado de la enseñanza en Salamanca por presión del dominico P. Mancio y luego del jesuita P. Pineda, ni Copérnico. Las obras de nigromancia y astrología fueron severamente prohibidas. En cuanto a la medicina, la Inquisición fue dura con sus aplicaciones extracientíficas, a veces rayanas en pura heterodoxia; tampoco toleró doctrina alguna que pusiera en duda la inmortalidad del alma o sobrepasara los límites de las doctrinas escolásticas.

Desde esta perspectiva, mucho más significativos que la prohibición tajante de muchas obras del gran médico y botánico suizo Leonhard Fuchs (1501–1566), quizá sólo por ser protestante, y de prácticamente todas las obras del polifacético mallorquín medieval Arnaldo de Vilanova (1240–1311), resultan los sintomáticos expurgos decretados para obras de los cuatro médicos humanistas de mentalidad más abierta del siglo XVI español: el vanguardista *Examen de ingenios para las ciencias*, de Juan Huarte, la *Sacra philosophia*, de Francisco Valdés, la versión romance con notas del famoso *Dioscórides*, por Andrés Laguna, y *Nueva filosofía de la naturaleza del hombre*, de Miguel Sabuco. Admira comprobar que sólo ellos de entre los españoles. No obstante, por sus tachaduras y sus conminatorios cambios en el texto de Huarte, el Santo Oficio se delató confeso adversario de los nuevos senderos de la medicina experimental, de la psicología diferencial con ella nacida, de la exclusiva aplicación del método empírico a la solución de los problemas físicos del mundo.

La hostilidad contra la filosofía no aristotélica se manifiesta en la prohibición de Francis Bacon, en la tardía impresión del *Diálogo de la dignidad del hombre*, de Pérez de Oliva, o los recelos contra los *Ensayos* de Montaigne, y *De la sagesse* de Pierre Charron.

La literatura es el ámbito mejor conocido. Según Márquez, el total de escritores procesados por la Inquisición española fue de 24 (12 en el siglo XVI, 5 en el XVII, 5 en el siglo XVIII y 2 en el XIX). De estos autores sólo 7 figuran con alguna obra prohibida o expurgada en los Indices de libros prohibidos (Talavera, Valdés, Avila, Arias Montano, Pérez, Golínez y Molinos). Hubo procesados como fray Luis de León o Sigüenza que nunca tuvieron obras prohibidas o expurgadas en los Indices. Si en el siglo XVI fueron dos los Indices de libros prohibidos (el de Valdés de 1559 y el de Quiroga de 1583) en el siglo XVII fueron cuatro (el de Sandoval y Rojas de 1612–1614; el de Zapata de 1628–1632 y los de Sotomayor de 1640 y 1667).

Según Márquez, los autores prohibidos o expurgados que figuran en los Indices inquisitoriales españoles suman un total de 82 entre 1551 y 1833, con especial abundancia de autores prohibidos en el Indice de 1559 (19), el de 1632 (19) y el de 1790–1805 (22). El grado de censura inquisitorial fue dispar: al lado de autores muy poco expurgados (Alonso de Ulloa, Calvete de Estella, Osuna, Guevara...) hay otros que lo fueron severamente (Huarte de San Juan, Gil Vicente, Quevedo, Torres Naharro...) Entre los 57 autores prohibidos, sólo 5 (Torres Naharro, Juan y Alfonso de Valdés, Antonio Pérez, Bernaldo de Quirós), tienen en algún momento todas sus obras prohibidas.

Las ramas literarias más afectadas por la censura fueron los ensayos religiosos, seguidos del teatro, novelas y poesía por este orden (de poesía se censuraron 15 autores y de novela 18). La peligrosidad de los ensayos religiosos y del teatro a los ojos de los censores radicaría en su proyección popular. El ensayo, como señaló el inquisidor Valdés, *lleva a la mística a las mujeres de los carpinteros* y el teatro tuvo una constatada capacidad de penetración en las masas que no sabían leer. Entre las obras religiosas destacan las de Talavera, Valdés, Guevara, Granada, Avila, Cazalla, Gracián... En el teatro sobresalen Encina, Torres Naharro, Gil Vicente, Carvajal, Feliciano de Silva, Palau, Natas y Huete que se mantuvieron en los Indices de principio a fin.

La preocupación por el mercado consumidor es muy clara y se denota en diversos Dictámenes sobre prohibición de obras literarias, el más famoso de los cuales fue el de Zurita. Significativamente, éste propugna que se salven los escritos en lenguas clásicas, pero no accesibles al vulgo, y los que sobresalgan por su valor literario.

De la literatura clásica estuvieron siempre prohibidos el *Ars amandi* de Ovidio, y la desvergonzada *Priapeia*; efectos secundarios alcanzaron a otras varias. Entre las extranjeras hay que subrayar que la literatura italiana fue tratada en los Indices primeros con llamativa dureza. De Dante, prohiben su *De la monarquía*, algunos versos del *Inferno* y otros del *Paradiso*. De Boccaccio, tras expurgos, el *Decamerón* pasa, pero no, y en cualquier lengua, la *Fiametta* y el *Corbaccio*. Petrarca ve tachados algunos sonetos y frases del *Remedios* y de *Triunfos*; Poggio Bracciolini, prohibidas sus *Facetiae*, colección de atrevidos cuentos; Massuccio Salernitano, todas sus *Novelle*. Entre otros autores italianos del Renacimiento, prohibidos o expurgados, hay que contar también a Maquiavelo, a Sannazzaro, a Guicciardini, a Manetti, a Ludovico Pulci, al Ariosto.

De la literatura española, el género que salió más malparado, resultó ser el teatro del XVI. Gil Vicente es prohibido con casi todas sus obras; Encina, con *Plácida y Victoriano*; Torres Naharro, con dos comedias. Algunas de las mencionadas en el Indice de Valdés no se han podido identificar, pues se han perdido todos sus ejemplares; de otras queda uno, o dos, casi siempre fuera de España. La generación teatral más afectada fue la antecesora a Lope de Vega. Párrafo especial merecería el trato dado a *La Celestina*. No fue afectada por la censura en el siglo XVI, se expurgó en el XVII (unas cincuenta líneas en 1632) y se prohibe en el último Indice, nada menos que en 1790; pero no se publica en España desde 1633. Sin duda, los dramaturgos se vieron obligados a atender mucho más a la doctrina y al decoro. Indices posteriores, los del XVIII, condenaron algunas obras teatrales más, incluso una de Lope de Vega, *La fianza satisfecha*.

¿Cómo fue el trato inquisitorial de la poesía y la novela españolas? Algunos poemas o colecciones de ellos, como la glosa de B. Díaz, el romance del *Conde Arnaldos*, las *Obras de Burlas* del Cancionero General, la *Peregrinación a Jerusalem*, de P. M. Ximénez de Urrea, varios romances han desaparecido en virtud de su prohibición o nunca pudieron ser editados, mientras estaba en vigencia. Otras prohibiciones afectan a cancioneros espirituales de dudosa ortodoxia. Sobresalen los numerosos expurgos decretados en el Indice del inquisidor general Valladares, de 1707, de la obra poética de Quevedo, y mucho más aún, por provenir del hombre que a lo largo de toda la vida de la Inquisición más influjo tuvo en sus tareas de control intelectual, el jesuita P. Juan de Pineda, los solicitados por él, muchos y de incomprensible estrechez mental, a numerosos poemas de Luis de Góngora.

También algunas novelas prohibidas por la Inquisición han desaparecido. Otras, populares en su tiempo, dejaron de serlo antes del nuestro. La clave del anonimato de *El Lazarillo*, quizá se encuentra en algún no identificado expediente inquisitorial. *El Lazarillo* fue prohibido inicialmente; cuando apareció en 1573 en edición expurgada, le faltaban varios capítulos. Es posible que ello influyera en que la picaresca tardara cuarenta años en reaparecer con el *Guzmán de Alfarache*.

En cualquier caso es difícil encontrar una lógica en los criterios represivos del Santo Oficio. Los tan denostados libros de caballerías podían circular con bastante libertad. La misma amplitud de criterio denota la censura de las novelas picarescas (aunque fue expurgada la novela de Espinel sobre Marcos de Obregón). Cotejando las ediciones originales de la *Propalladia* de Torres Naharro con la edición expurgada de 1573 se observa que las modificaciones no afectaban a la sustancia... En cambio, Jorge de Montemayor encontró dificultades cuando intentó publicar su Cancionero Espiritual.

Le dijeron que no estaba preparado para escribir libros de espiritualidad y teología. Cervantes, a pesar de su indiscutible espíritu religioso, no se distinguió precisamente por su beatería, y sin embargo apenas hubo de sufrir molestias por parte de la Inquisición que sólo puso reparos a un pasaje de D. Quijote en el que se dice que las obras sin caridad son inútiles, idea ésta que se asociaba con los alumbrados y protestantes. El control social de la literatura amena en el siglo XVI influyó poco en el desarrollo de ésta.

La censura, sobre todo en el teatro, se hizo más severa a partir de 1600. Escritores de la altura de Quevedo y de Tirso tuvieron sus roces con la Inquisición. Particularmente vigilante fue ésta con el teatro *a lo divino* por su manipulación, un tanto frívola, de las figuras bíblicas. Así se censuró rigurosamente en 1658 *Los tres portentos del cielo* de Vélez de Guevara. El Indice de 1633 fue mucho más duro que el 1612. Se le añadieron muchos autores censurados y ello por la incansable labor controladora del padre Juan de Pineda. Desde 1667 se publicaron los Indices con un rigor formal del que habían carecido. Se intercalaban los Decretos específicos de cada tribunal, se adaptaba el orden alfabético, se precisaban las licencias para leer. En este Indice, Quevedo es particularmente controlado.

Se permite la *Política de Dios, Govierno de Christo*, impresa en Madrid en el año 1626 por la viuda de Alonso Martines, y no otra impresión. Se permiten también los siguientes libros: *La defensa del Patronato de Santiago; Juguetes de la niñez*, impreso en Madrid en el año 1629; *La Cuna y la Sepultura; La traducción del Rómulo,* del Marqués Virgilio; *La traducción de la vida de-*

vota de San Francisco de Sales; El conocimiento propio; Consolación de Séneca a Galión, en castellano. Todos los demás libros y tratados impresos y manuscritos, que corren a nombre de dicho autor, se prohíben, *lo qual ha pedido por su particular petición, no reconociéndolos por propios*.

La politización de la censura inquisitorial es patente, por ejemplo, en la presentada en Zaragoza en 1660 contra la obra del padre Bartolomé de las Casas: *Este libro contiene una relación de cosas mui terribles y fieras, quales no se leen en las historias de otras naciones, y el autor dice de los soldados españoles y pobladores de las Indias, y ministros del Rey Cathólico. Parece se debían recoxer estas narraciones por injuriosas a la nación española, pues aunque fuesen verdades y no encarecimientos del Memorial, vastaua una vez auerlas representado a la Magestas Cathólica, o a sus maiores ministros para la enmienda, y no publicarlas por todo el mundo, que de esto toman ocasión los enemigos de España y los hereges para escribir que los españoles son fieros y crueles, como lo an hecho los ingleses en libros impresos en Amsterdam...*

En resumen, la literatura no fue muy afectada por la Inquisición. Sobre un total de unas 2.000 publicaciones en el siglo XVI, sólo un 10 % se refieren a obras escritas en castellano y de este grupo sólo un 12 % pertenecen a obras literarias. Los Indices españoles, contrariamente a los Indices romanos, no intervinieron en los libros impúdicos y se centraron en asuntos religiosos que afectaban a la fe o al dogma. En el siglo XVII se impone la politización de la censura.

La educación

La enseñanza fue muy deficiente. Puede decirse que hasta los 5-6 años los niños vivían la edad de oro de su infancia, generalmente bien tratados y alimentados, hasta una vez efectuada la primera comunión, que era cuando entraban en la llamada *edad de discreción*, donde se les exigía una más estricta disciplina y empezaba a modelarse su futuro, al mismo tiempo que eran preparados para sus responsabilidades de adultos. Esta etapa acababa con la llegada de la pubertad, que los contemporáneos oficialmente celebraban a los 12 años para las niñas y a los 14 para los niños. A partir de esta edad el niño podía salir de la casa paterna y ser confiado al cuidado de otras personas.

En la etapa de *transición* (a partir de los seis años), el niño aprendía a leer y escribir en su lengua vernácula, a hacer las operaciones aritméticas más sencillas y a recitar partes del catecismo. El medio de instrucción menos común, pero más prestigioso, era el del tutor privado, que vivía en casa y servía de profesor, compañero y director social del niño. Este medio de instrucción era típico y casi exclusivo, por evidentes razones económicas, de las familias aristocráticas, aunque a veces sus resultados, por incompetencia del tutor, dejaban bastante que desear.

Una alternativa al tutor particular era la enseñanza privada fuera de casa, a cargo del *maestro de primeras letras*, cuya libertad profesional se vio fuertemente limitada por la intervención de las órdenes religiosas, que impusieron la enseñanza del catolicismo a los niños desde un principio. Estas escuelas privadas oscilaban entre 38 y 140 alumnos y presentaban serios inconvenientes.

La atención individual era mínima (sólo había un maestro y dos asistentes para tal número de niños), lo que hacía que hubiera graves problemas de indisciplina, con fuertes castigos corporales incluidos, y que la enseñanza fuese deficiente. Muchos de estos maestros regentaban pensiones, donde alojaban y alimentaban a los niños.

Otro grave problema de este tipo de enseñanza estaba en los precios: dos reales al mes para los que sólo aprendían a leer; cuatro para los que aprendían a leer y escribir; seis para los que aprendían a leer, escribir y contar. Como quiera que el curso duraba once meses, los que aprendían las tres cosas tenían que pagar unos seis ducados al año, precio totalmente fuera del alcance de la población trabajadora de Castilla (excepto para los alumnos pobres aceptados de *limosna*). Kagan destaca la importancia del municipio en la creación de un importante número de escuelas, sobre todo durante los primeros años del siglo XVI, por causas probablemente ligadas a los ideales del Renacimiento y al interés de la Iglesia en inculcar los dogmas de la religión a cuantas más personas mejor con tal de hacerlas inmunes a la herejía.

El censo de 1561 registra diez maestros de niños en Valladolid, seis en Segovia, dos en Medina del Campo, uno en Plasencia, y uno en Trujillo. En Barcelona, sabemos que en 1559 se creó una escuela municipal en el patio de la Universidad y, en 1597, otra con el nombre de *El Corralet*.

La educación secundaria en la España de los Austrias estaba representada por la *Escuela de Gramática*. La asignatura–base de la misma, al menos teóricamente, era el latín; y otras asignaturas importantes eran la geografía, historia, matemáticas, filosofía y retórica. Esta educación secundaria acababa para el alumno a los 17 años y le permitía entrar en la Iglesia o continuar estudios de leyes, medicina, filosofía o teología en las Universidades.

Las *Escuelas de Gramática* eran el medio de educación más popular para las familias menos privilegiadas y se encontraban generalmente en las ciudades más pobladas. Los maestros eran elegidos para dirigirlas a través de una *oposición*, dirigida por los concejales del municipio y por el corregidor de la ciudad. Las *Escuelas de Gramática* tuvieron un gran éxito (Kagan calcula más de 70.000 sólo en Castilla).

Estas *Escuelas* fueron, sin embargo, duramente criticadas por los arbitristas que consideraban que apartaban a la juventud de otras ocupaciones más *útiles y productivas*. Estas críticas fueron recogidas por Felipe IV en 1623, cuando decretó que sólo las ciudades que tuviesen corregidor pudiesen tener *Escuelas de Gramática*. Según Kagan, aquí empieza la decadencia de la educación hispánica, que no se regenerará hasta bien entrado el siglo XIX.

La asignatura básica era el latín, cuyo aprendizaje no empezaba hasta los 8 ó 9 años, una vez que el niño había aprendido los conocimientos básicos de la lengua vernácula.

El medio de educación preferido por las clases altas era la figura del tutor privado. Su misión era *enseñar las virtudes y las buenas costumbres, utilizando las doctrinas y los preceptos de la moral y de la Filosofía Natural*. Dominó, ciertamente, el prejuicio terriblemente clasista de los nobles que no querían que sus hijos fueran a las escuelas para *mezclarse* con los alumnos que no pertenecían a su estamento social y considerados vulgares.

Los reyes mostraron su preocupación por lo que consideraban como deficiente preparación de la aristocracia castellana para llevar los asuntos públicos, económicos y políticos que por *sangre* les correspondían; pero los diferentes intentos de la monarquía de *entrenar y educar* a la nobleza fracasaron por el excesivo orgullo de ésta (por ejemplo, fracasó el Colegio Especial de Reales Estudios de San Isidro).

Conviene destacar la patente influencia de la Compañía de Jesús en el ámbito educativo peninsular de los siglos XVI y XVII. La Compañía de Jesús pasó a controlar la mayor parte de los Colegios gracias a sus *méritos* (buena organización interna y unos profesores competentes y bien preparados, al contrario de muchas escuelas municipales).

Los jesuitas hacían una severa selección de sus mejores discípulos, y esta minoría vivía en régimen de internado bajo la disciplina jesuítica 24 horas al día y 11 meses al año, aislados del mundo exterior, y en todas las actividades se hablaba en latín, existiendo entre los alumnos una fuerte competencia (con incentivos incluidos), cosa que aumentaba la capacidad y los conocimientos de los alumnos. Todos estos factores dieron un gran prestigio a la Compañía de Jesús (muy pocos autores y escuelas municipales podían competir con ella en cuanto a educación) y esto explica su éxito, que Kagan reafirma con una serie de datos elocuentes: en el año 1600 los jesuitas regentaban 118 colegios en la Península (92 de los cuales en Castilla), y en los últimos 20 años del siglo XVI el número de los estudiantes pertenecientes a colegios jesuitas (sólo en Castilla) aumentó de 10.000 a 15.000.

Las Universidades del Antiguo Régimen siempre han tenido mala prensa. Los testimonios de los estudiantes que las vivieron fueron poco halagadores: de un Luis Vives en Valencia a un Cervantes en Salamanca, pasando por el Mateo Alemán de Alcalá. El siglo XVI es, pese a ello, un siglo de patente explosión en la vida universitaria. Veinticuatro nuevos centros universitarios de 1500 a 1620 vinieron a sumarse a los doce ya existentes. Las clásicas y viejas Universidades medievales de Salamanca, Valladolid o Lérida se vieron desbordadas por la proliferación de nuevas Universidades, la mayor parte de las cuales surgieron bajo una forma institucional muy característica de la España de la Contrarreforma, la de los Colegios–Universidades o Conventos–Universidades, también llamadas *Universidades menores*. Estas Universidades nacieron vinculadas bien a un Estudio particular en el que se impartía originariamente enseñanza de tipo secundario, bien como dependientes de una orden religiosa, que en principio, había solicitado el privilegio pontificio para formar y graduar con exclusividad a un número reducido de sus miembros. De todas las Universidades creadas en el siglo XVI, sólo Valencia (1500), Granada (1531), Zaragoza (1542), Oviedo (1574) y Vic (1599) pueden considerarse *Universidades mayores*, nacidas al calor de las necesidades corporativas de profesores y estudiantes o de la iniciativa directa real o pontificia.

La relación de las Universidades creadas durante el período 1500–1620 es la siguiente:

Universidad	*Origen*	*Fecha Bula Pontificia*	*Fecha Privilegio Real*	*Fundador*
Alcalá	Colegio			Cardenal Cisneros
Valencia		1500	1502	Municipio
Sevilla (Sto. Tomás)	Colegio de S. Pablo-Dominicos	1517	1541	Arzobispo Fr. D. de Deza
Santiago de Compostela	Colegio	1526	1567	Arzobispo Fonseca
Toledo	Colegio	1521	1529	Maestrescuela Alvarez de Toledo
Granada		1531	1521	Carlos I
Sahagún-Irache	Convento benedictino que pasa a colegio	1534	1665	

Universidad	*Origen*	*Fecha Bula Pontificia*	*Fecha Privilegio Real*	*Fundador*
Zaragoza	Facultad de Artes	1555	1542	Municipio
Oñate	Colegio	1545	1549	Obispo R. de Mercado
Baeza	Colegio	1542	1583	R. López, clérigo
Ejea de los Caballeros	Colegio	1546		Municipio
Gandía	Convento Jesuita que pasa a colegio	1547		Duque Fco. de Borja
Osuna	Colegio	1548		J. Téllez-Girón, conde Ureña
Avila	Convento dominico que pasa a colegio	1576	1638	Dominicos
Almagro	Convento dominico que pasa a colegio			F. de Córdoba
Burgo de Osma	Colegio	1555	1562	Obispo P. Alvarez de Costa
Orihuela	Convento dominico que pasa a colegio	1569	1646	Arzobispo Fernando Loazes
Oviedo		1574	1604	Arzobispo V. Valdés
Tarragona	Seminario	1574	1580	Cardenal Cervantes

Universidad	*Origen*	*Fecha Bula Pontificia*	*Fecha Privilegio Real*	*Fundador*
El Escorial	Convento Jerónimos	1505		
Vic			1599	Municipio
Tortosa	Convento dominico que pasa a colegio	1600	1645	B. Surio, dominico
Solsona	Colegio dominicos	1620		
Pamplona	Convento dominico que pasa a colegio	1624	1630	M. de Abaurrea, particular

La iniciativa eclesiástica fue, como puede verse, fundamental en la creación y promoción de estos centros. En su creación influye desde la demanda efectiva de estudios por parte de la población, a la idea de perpetuar su memoria por parte del fundador (caso éste muy claro en el obispo de Avila, fundador del Estudio de Oñate), pasando por la voluntad municipal de aprovechar los beneficios económicos derivados de la atracción de la población estudiantil (ejemplos serían los estudios de Pamplona y Tarragona). Ahora bien, el elemento motor quizás primordial en estas Universidades fue el protagonismo de las órdenes religiosas. Diez de estas Universidades estuvieron a cargo de religiosos: 7 de dominicos (Sevilla, Osuna, Avila, Tortosa, Orihuela, Pamplona, Solsona) y 3 de jesuitas (Gandía, Irache, El Escorial). No hay que olvidar que la primera condición legal requerida para que funcionara una Universidad era el permiso o bula pontificia. La otorgación de dicha gracia se gestionaba, lógicamente, mejor desde la Iglesia misma.

Entre las 24 fundaciones universitarias citadas sólo cuatro recibieron el privilegio real con prioridad: Granada y Zaragoza que obtuvieron más tarde el pontificio, Vic que sólo funcionó con el aval del privilegio regio y el Convento–Estudio General del Real Monasterio del Escorial que no llegó a obtener tampoco con posterioridad la gracia papal. De los restantes, 15 solicitaron con anterioridad la bula de Roma y sólo tras laboriosas gestiones consiguieron la legitimación por parte del poder civil. Otras cuatro Universidades funcionaron exclusivamente con la autorización pontificia (Egea de los Caballeros, Gandía, Osuna y Solsona) y una sola (Almagro) careció de privilegio alguno y funcionó capeando las requisitorias de los agentes de la monarquía.

La actitud inicial ante la demanda de creación de estas Universidades era muy restrictiva, prácticamente limitada al establecimiento de *colegios–internado*, que poco a poco irían ampliando sus funciones. Las irregularidades de la conversión de estos colegios en Universidades fueron numerosas. Colegios como Almagro o Solsona actuaron como Universidades sin la bula papal. Otras como Orihuela, Irache, Sevilla, Avila, etcétera, una vez concedido el permiso pontificio, no pidieron la aprobación real. Se tendió a desarrollar una política de hechos consumados. Los enfrentamientos inter–universitarios fueron frecuentes. Salamanca intentó inútilmente frenar la creación de Alcalá; Barcelona, lo mismo respecto a Vic o Solsona. Valencia intrigó contra Orihuela. La lucha por el mercado estudiantil fue fuerte. Fue, asimismo, positiva la frecuente aparición de la imprenta al calor de la Universidad: tal es el caso de Osuna, Sigüenza, Tortosa y Orihuela.

A diferencia de Francia y Alemania (que tuvieron un esplendor y una crisis en la Universidad más precoces), España tuvo su época de apogeo universitario, como en Inglaterra, entre 1540 y 1620. Pese al protagonismo tan directo de la Iglesia, la realidad es que el intervencionismo regio fue cada vez mayor y visible en la serie de visitas de enviados del rey a los diversos centros. La Universidad que los Reyes Católicos concibieron fue una institución capaz de fabricar el cuerpo de letrados y funcionarios que el nuevo Estado requería. En 1493, los Reyes Católicos introdujeron la exigencia de titulación universitaria para ocupar los distintos cargos de los Consejeros, Audiencia y Chancillerías. La medida, lejos de ser un hecho aislado, venía a completar toda una serie de disposiciones tendentes a no dejar escapar de las manos una institución que, se consideraba, había de ponerse al servicio del Estado. Entre éstas, destacaban las encaminadas a controlar la expedición de grados académicos (1480), a proteger de tasas impositivas la venta de libros (1480), a establecer un sistema de censura previa para los mismos (1502), a regular las incorporaciones de grados para evitar fraudes y falsificaciones (1491), a prohibir de modo terminante las dádivas y sobornos que regían en el sistema de provisión de cátedras (1494), etc...

La Universidad en el siglo XVI fue un vivero de letrados, una cantera de burócratas, que aspiraban a acceder a una serie de cargos, considerados como el sustitutivo ideal para los segundones, hijos de la pequeña nobleza, que no podían ejercer como rentistas. La tendencia de la monarquía al control en la Universidad se puso de manifiesto en la cada vez más rigurosa filtración impuesta para el ingreso en la misma (freno de la expansión de los estudios secundarios), limitando la fundación de *Escuelas de Gramática* a las poblaciones que contaran con la presencia de un corregidor y permitiendo sólo subsistir a las que tuvieran un mínimo de renta anual de 300 ducados y en el control de las cátedras, imponiendo el turno colegial (sistema por el que cada vacantía había de ser cubierta por un orden previamente establecido por los alumnos de los Colegios Mayores) que se convirtió en el tamiz adecuado para impedir la permeabilidad social. La práctica del sistema consistía en asegurar de cada cinco cátedras vacantes, cuatro para los Colegios Mayores donde vivían los estudiantes de las clases acomodadas emparentadas con los grupos de poder.

La ambigüedad de origen en su fundación fue la constante en la mayor parte de las Universidades (fundación frecuentemente eclesiástica pero con exigencia de patronato regio). Ello condicionó, entre otros factores, una patente dualidad en las jerarquías universitarias. Tanto en las Universidades castellanas (salvo en Alcalá, donde no había canciller) como en las de la Corona de Aragón, las máximas autoridades estuvieron representadas por el rector, máxima jerarquía académica, y el canciller, máxima jerarquía político–judicial.

El canciller (también llamado maestrescuela en Salamanca)

fue un cargo de nominación eclesiástica. En Valladolid y Barcelona incluso se vinculó este cargo al obispo. El rector de las Universidades castellanas (salvo en Alcalá) era un seglar. Sus funciones fueron un tanto dispares: muy limitadas en la Corona de Aragón por las jerarquías municipales (Nacional, síndicos y abogados), máximas en la Universidad de Alcalá, donde tenía todo el poder ejecutivo y judicial, y controlado constitucionalmente por los consiliarios y los diputados en Salamanca y Valladolid. En otras Universidades el rector mandaba pero no gobernaba. El claustro (integrado en Salamanca por la mitad de profesores y alumnos) tenía en las Universidades castellanas gran beligerancia. Los consiliarios y diputados o definidores eran cargos de cierta trascendencia en Salamanca y Valladolid. No existieron nunca en Valencia y en Barcelona sólo desde 1585, los consiliarios. Los primeros (un total de ocho personas insaculadas entre dieciséis nombres propuestos por los consiliarios salientes y el rector) tenían como función la asesoría docente y los segundos (un total de diez personas insaculadas entre una lista de veinte nobles graduados propuesta por el rector, canciller y un número limitado de catedráticos) tenían funciones básicas de control económico. La elección del rector en Salamanca, Valladolid o Granada se hacía según el modelo boloñés mediante votación del rector y consiliarios. En Salamanca, la Constitución de 1422 fijaba un total de seis escrutinios y la de 1538 acabó precisando la designación por insaculación de una terna previamente elegida por los consiliarios. Este último sistema fue el que se siguió en Valladolid. En las Universidades de la Corona de Aragón el rector era elegido por los *consellers* municipales, directa o indirectamente.

Respecto a sus condiciones, en Salamanca, aunque no se prefijaba su condición de estudiante, al prohibirse que fuera religioso o casado, menor de 24 años, catedrático o colegial, en la práctica fue casi siempre estudiante elegido de entre los diputados, es decir, noble. Rectores famosos en Salamanca fueron Pedro González de Mendoza (1544), Iñigo López de Mendoza (1564), Diego López de Zúñiga (1567), Sancho Dávila (cuatro veces de 1568 a 1588). En Valladolid se prohibía que fuese religioso y casado y fue habitualmente doctor o licenciado. En Alcalá fue siempre un colegial elegido por los colegiales. En su elección de los cuatro que sacaban más votos, con un mínimo de cuatro, se sorteaba quién sería rector, quedando los otros tres como comisarios. En Valencia fue hasta 1585 un catedrático y después un canónigo. En Barcelona desde 1567 se estableció la rotación jurista – médico – maestro en artes – teólogo para acabar, a comienzos del siglo XVII, ocupado el cargo por un *conseller*. Respecto a la procedencia, se precisó en las Universidades castellanas que había de ser de la Corona de Castilla, matizando en el caso de Salamanca el relevo: un año de Castilla y otro de León. El cargo era de obligada aceptación. Su vigencia fue anual en la mayor parte de las Universidades, trienal en Valencia, aunque también se pudo prolongar. En Alcalá no podía ser reelegido en dos años.

Los catedráticos en las Universidades castellanas eran elegidos por los escolares, según el modelo boloñés, que progresivamente sería relegado por el modelo parisiense de nominación a cargo de las jerarquías. La elección más democrática fue la realizada en Salamanca y Granada, donde se establecieron severas disposiciones respecto a la pureza de las oposiciones: lectura pública del tema propuesto por el rector durante hora y media, evitación de contactos opositores–electores, condiciones para los votantes (estudiantes de más de 14 años). Desde 1623 el Consejo de Castilla provee las cátedras salmantinas sobre una terna impuesta por el Tribunal juzgador. Desde esta fecha ya no serán los estudiantes los jueces. Los claustros tenderán a restringirse a los catedráticos perpetuos y los colegiados.

En la Corona de Aragón el progresivo intervencionismo municipal tendió a imponer la nominación directa por parte de los *consellers*. Desde 1567, sólo salen a oposición en Barcelona las cátedras de gramática, artes y filosofía. En Valencia se establecieron oposiciones a partir de 1609. Hasta 1510 en esta Universidad los catedráticos eran nombrados directamente por los jurados. De 1510 a 1530 eran insaculados de una lista propuesta por un comité de electores. Desde esta fecha los jurados volvieron a tener derecho de elegir a los catedráticos. En Lérida se introducirían las oposiciones en 1575.

Las cátedras tenían una duración variable: cuatrienales en Salamanca, trienales en Barcelona, anuales en Valencia hasta 1561 y trienales desde esa fecha, perpetuas en Alcalá, etcétera. Los sueldos de los catedráticos fueron tan escasos como oscilantes. En cualquier caso, siempre muy superiores en la Corona de Castilla a la Corona de Aragón. Mientras un catedrático de medicina cobraba en Salamanca de 300 a 700 ducados anuales, en Barcelona y en Valencia sólo percibía de 25 a 50 ducados. En Alcalá la dotación de cátedras ascendía en el siglo XVI de 27.000 a 51.000 maravedís anuales, mientras que en Valencia sólo pasó de 4.000 a 10.000 maravedís. Y es que la estructura económica era mucho más frágil en las Universidades de la Corona de Aragón que en las de Castilla.

La supeditación de las Universidades de la Corona de Aragón a la propia peripecia de la vida municipal era angustiosa. En Lérida los ingresos de la Universidad dependían de los impuestos municipales sobre el vino o la carne. En Valencia la aportación económica de la Iglesia fue decisiva. El sueldo extraordinario que cobró Celaya como rector de la Universidad de Valencia desde 1528 fue posible porque se le asignaron las rentas de una canonjía de la catedral. De hecho, las contribuciones que hizo el arzobispo Santo Tomás de Villanueva a la Universidad de Valencia fueron decisivas.

En función de la precaria estructura económica de estas Universidades, la mayor parte de sus ingresos procedían de las propias contribuciones de los graduados con la adquisición de sus respectivos títulos. En la Universidad de Valencia tales contribuciones representaban más de la mitad del presupuesto anual, que evolucionó, entre 1548 y 1598, de 18.560 a 41.553 sueldos. En este caso, los costes de matrícula (medio sueldo por alumno) y coste total de la obtención del grado (un bachillerato en artes costaba 6,5 libras y una licencia y doctorado costaba de 38 a 50 libras) eran mucho más altos que en las Universidades castellanas.

Esta mayor presión de las tasas académicas sobre los estudiantes fue necesaria porque las Universidades de la Corona de Aragón tuvieron siempre una población muy limitada numéricamente. La de Valencia, la más poblada de las de la Corona de Aragón, en el momento de mayor *boom* estudiantil no pasaría de los 2.000 estudiantes matriculados, cuando la de Salamanca tenía 7.000.

Antes de 1561 en la Universidad de Valencia sólo 215 alumnos se habían graduado en medicina y el resto de las facultades arrojaba el siguiente balance de bachilleres y doctores: en derecho civil, 107; en derecho canónico, 79; en teología, 72; y en artes, 601. La universidad de Barcelona tenía pocos alumnos. De 1561 a 1600 se registra un total de 1697 graduados (1574 bachilleres y 123 doctores) distribuidos así: facultad de Artes, 1411 bachilleres y 47 doctores; medicina, 39 bachilleres y 44 doctores; teología, 61 bachilleres y 18 doctores; y derecho 63 bachilleres y 14 doctores.

Estas cifras realmente son muy pequeñas si las comparamos con las Universidades castellanas. Peset ha elaborado el siguiente cuadro de la matrícula en Salamanca y Alcalá:

Años	*Salamanca*	*Año*	*Alcalá*
1552-1553	6.202	1547	1.949
1599-1600	4.105	1600	1.237
1650-1651	2.770	1650	2.061
1700-1701	1.923	1700	1.637

La mayor parte de los graduados en Salamanca lo eran en derecho:

	1550	1625	1630	1680
Derecho civil	621	1.282	734	141
Derecho canónico	1.436	3.128	—	745

En el siglo XVI aparecen los Colegios Mayores que tienen especial importancia en las Universidades castellanas, sobre todo en Salamanca, Valladolid, Alcalá, Cuenca, Oviedo y Santiago. Destacan los cuatro salmantinos (S. Bartolomé, S. Esteban, S.

Salvador y Santiago), el de Alcalá (S. Ildefonso, con 33 colegiados y 12 capellanes) y el de Valladolid (St. Cruz, creado en 1479).

Los Colegios Mayores disfrutaban de un considerable grado de autonomía, seleccionando sus propios miembros y dirigiendo sus asuntos financieros. Inicialmente creados como medio para que estudiantes prometedores, pero faltos de recursos económicos, accedieran a la enseñanza superior, fueron convirtiéndose en el feudo de una *élite* de estudiantes de buena familia, que una vez probada su pureza de sangre de *cristiano viejo*, pudieran prepararse para conseguir *los más altos cargos de la monarquía*. Cargos que tenían prácticamente asegurados desde el momento en que conseguían entrar en el Colegio.

De acuerdo con los reglamentos originales de cada Colegio, los estudiantes de la Corona de Castilla tenían preferencia a la hora de ingresar en dicha institución, pero no más de dos colegiales por cada diócesis ni más de un colegial por ciudad eran admitidos al mismo tiempo. Los reinos *extranjeros* como Galicia, Asturias, Navarra, Vizcaya, Aragón, Cataluña y Portugal sólo podían tener un colegial cada uno. Sin embargo, progresivamente y sobre todo durante el siglo XVII, los estudiantes castellanos fueron cada vez más numerosos, desplazando a los estudiantes de otras zonas de la Península, culminando así el proceso de castellanización, que se había iniciado a partir del reinado de Felipe II.

La edad de ingreso en los Colegios Mayores oscilaba, según los Colegios, entre 20 y 24 años. Los que lograban entrar era porque tenían familiares en las altas esferas gubernamentales o porque sus padres u otros parientes habían estudiado en el mismo Colegio anteriormente; de esta manera se iban perpetuando las dinastías familiares.

Este cambio en la procedencia social de los estudiantes de los Colegios repercutió también a la hora de elegir las carreras: si en principio los más pobres elegían las eclesiásticas, posteriormente los estudiantes de buena familia elegían mayoritariamente carreras *seculares y prácticas* (el derecho principalmente, con el fin de copar los buenos cargos de la Administración). Los colegiales dominarían la burocracia, las Chancillerías y Audiencias y los Consejos, en especial el de Castilla. Las cátedras de leyes y cánones fueron siempre suyas. En Valladolid, de 1500 a 1600, de 111 cátedras de derecho, 90 son de colegiales y 21 no y, de 1600 a 1700, de 169, 104 son de colegiales y 65 no. J. J. Linz ha estudiado el destino de 6.120 colegiales de Alcalá con los resultados siguientes:

Santos, venerables y personal de especial virtud .... 2,6 %
Dignidades eclesiásticas .... 35,7 %
Altos oficiales ejecutivos gubernamentales .... 22,6 %
Altos oficiales judiciales .... 25,6 %
Títulos y nobles .... 10 %
Escritores y maestros de príncipes .... 3,8 %

Cada colegio tenía un partido mayoritario que lo dominaba. Así, S. Bartolomé se hallaba en manos de vizcaínos y montañeses, el de Santiago estaba controlado por andaluces, etc...

Otra prueba de la adhesión de los Colegios a la élite de los letrados castellanos era la procedencia de sus profesores: la mayoría habían sido anteriormente alumnos del Colegio donde enseñaban, pero al llegar al siglo XVII esta tendencia ya había cambiado, puesto que casi todos los estudiantes de los Colegios habían encontrado un seguro y confortable cargo en la Administración, y no necesitaban ni querían —salvo raras excepciones— ejercer el más incómodo cargo de profesor. Este éxito de los Colegios a la hora de colocar sus alumnos entre los más altos puestos de la Administración se tradujo en un notable incremento del número de estudiantes matriculados (sobre el 25 %); aumento que sin duda hubiera sido mayor de haber interesado, pero no había plazas para todos.

Naturalmente, la monarquía, ante el auge que iban tomando los Colegios Mayores, intentó ejercer un control sobre éstos y así, en 1634, D. Mendo de Benavides, Obispo de Segovia y consejero real, inició una serie de visitas o inspecciones (generalmente una vez al año) a los Colegios Mayores para controlar sus actividades bajo los auspicios regios. En 1646, el Consejo Real aprobó una junta de Colegiados para controlar y mantener unos altos niveles académicos con el fin de *educar los individuos elegidos para servir a Su Majestad*.

Sin embargo, estos intentos del poder real de controlar los Colegios Mayores fracasaron en buena parte ante las poderosas influencias y aliados que tenían dichas instituciones, e incluso las tentativas que hizo el primer Borbón, Felipe V, para dominarlas fallaron por las mismas causas, limitando así el poder del rey. Todo este proceso deterioró las relaciones entre la monarquía y los Colegios (acusados además, de ser los causantes de la ruina de las Universidades); la tensión aumentó durante el reinado del ilustrado Carlos III, que obligó a los Colegios a aceptar algunas de sus reformas, y llegó a su punto culminante bajo Carlos IV, cuando, en 1798, los Colegios Mayores fueron oficialmente suprimidos y sus bienes vendidos con el fin de amortizar la deuda nacional.

Los planes de estudios universitarios estaban regulados por las ordenanzas (reales en las Universidades Castellanas y municipales en la Corona de Aragón). Las más prolijas fueron las de Valladolid de 1545, con 257 puntos, y las más cortas las de Salamanca de 1538, con 63.

La estructura de las Facultades continuó siendo similar a la medieval, con la de Artes como facultad propedeútica de preparación (el título de Bachiller en Artes se alcanza a la edad *standard* de los 20-21 años). Los estudios de Artes fluctuaban entre tres y cuatro años (este era el caso de Alcalá). Las Facultades superiores eran las de teología, derecho civil y canónico y medicina. La carrera solía terminarse a la edad promedio de 26–27 años. La Facultad de Artes era, lógicamente, la que más cátedras tenía, Salamanca contaba con 15, Alcalá con 8, y Valladolid con 10. Las materias impartidas en esta Facultad fueron químicas, lógica, filosofía natural o física, matemáticas (en Valencia desde 1503 y en Valladolid sólo desde 1599), griego o hebreo, gramática y retórica y algunas otras más específicas como la astrología (en Salamanca desde 1554) o Lorenzo Valla (en Valencia, desde 1526 a 1547). Cátedra de metafísica sólo tuvieron algunas Universidades como Alcalá, desde 1510, Valencia, desde 1587, o Barcelona, desde 1599. Salamanca no la tendría hasta 1789. La Facultad de Teología contaría con 8 cátedras en Salamanca, 3 en Alcalá, 5 en Salamanca y 6 en Barcelona, desde 1588. Se enseñaba Biblia, St. Tomás, Durando, Lombardo y, en algún caso específico (como Valencia, hasta 1525), Escoto.

Las Facultades de Derecho Civil y Canónico ofrecían enseñanzas de derecho, Sexto y Clementinas, y Bizantino (Institutos, Código y Digesto). Salamanca tuvo 10 cátedras de cada uno de los Derechos. Valladolid fue el gran centro español de estudios jurídicos civiles, lo que se explica por la presencia en la ciudad de la Chancillería.

La Facultad de Medicina enseñaba esencialmente a Avicena, Hipócrates y Galeno. En Salamanca, las tres cátedras iniciales se duplicaron desde mediados del siglo XVI creándose las de anatomía (1551), cirugía (1556) y simples o botánica (1573), la primera de las cuales implica la incorporación del vesalianismo. En Alcalá hubo cuatro cátedras (una de anatomía, creada en 1550 y otra de cirugía en 1594). En Valencia experimentó un espectacular crecimiento a lo largo del siglo XVI: de una a nueve cátedras.

La Universidad de Valencia contó con las primeras cátedras españolas de cirugía, anatomía y simples. Durante las primeras décadas del siglo, la enseñanza fue, sin embargo, de poca altura y muy atenida a los supuestos tradicionales. La situación cambió radicalmente a partir de los años cuarenta, gracias a la actividad de un importante grupo renovador que consiguió imponer las corrientes renacentistas de retorno a los clásicos y que convirtió a la Universidad de Valencia en centro del movimiento vesaliano español. La enseñanza de anatomía y simples se basó, de acuerdo con las nuevas corrientes, en disecciones de cadáveres humanos y en la práctica de herborizaciones, siendo el modelo que siguieron después otras Universidades españolas. En 1560, dicha enseñanza se separó en dos cátedras independientes, una de anatomía y otra de simples o *herbes*. Por otra parte, en 1548 se había fundado una cátedra de Práctica y más tarde se crearían las de Hipócrates (1567) y de práctica particular (1574). En 1590 se creó otra, titulada *De remediis morborum secretis*, que sólo funcionó durante un curso académico. A pesar de ello, tiene un excepcional relieve histórico porque fue la única cátedra universitaria en la Europa del siglo XVI consagrada a los medicamentos químicos, de acuerdo con las ideas del movimiento paracelsista.

Entre las llamadas Universidades menores hubo algunas que merecieron el calificativo de *silvestres*, porque en ellas se concedían títulos en condiciones poco escrupulosas. Su prototipo fue la de Sigüenza, que había sido fundada en 1476. Su Facultad de Artes llegó a ser suspendida por falta de alumnos y la enseñanza médica contaba únicamente con una cátedra creada en 1551. También la Universidad de Oñate tenía un funcionamiento muy poco satisfactorio en todos los sentidos. En 1579 se le prohibió dar grados en medicina, por la convincente razón de que ni tenía cátedra ni daba enseñanza alguna sobre la materia. Solamente después de la prohibición comenzaron las gestiones para dotarla.

A pesar de su modestia, otros centros universitarios tenían un carácter más serio. En Osuna funcionaba con dignidad una pequeña Universidad fundada por el Conde de Ureña en 1548. Tuvo primero Facultades de Teología y Medicina y, a partir de 1557, también Facultad de Artes. A finales de siglo llegó a tener una matrícula de poco más de trescientos estudiantes. Menor relieve todavía tuvo la de Burgo de Osma, fundación de carácter diocesano (1554), que daba enseñanza en artes, teología y derecho.

En América la primera Universidad fue la de Santo Domingo. En 1515 habían fundado allí los dominicos el Colegio de Sto. Tomás, que en 1538 fue elevado al rango de Universidad con los mismos privilegios que la de Alcalá. Tuvo desde el principio todas las Facultades, incluida Medicina. En la misma ciudad se creó después otro Estudio General —el de Santiago de la Paz (1558)— que en la práctica no fue más que una escuela de gramática.

De mayor importancia fue la Universidad de México, fundada en 1551 por iniciativa del virrey Don Antonio de Mendoza, tomando como modelo la de Salamanca. Comenzó a funcionar en 1553 con ocho cátedras, que en 1588 había aumentado a trece. Entre ellas se encontraban la de medicina —dotada en 1580—, la de cirugía y la de astrología.

El mismo año que la de México se creó la Universidad de Lima, que dependió de los dominicos hasta que en 1571 se convirtió en una institución independiente. Desde 1576 contó con dos cátedras de medicina.

La carga docente en las Universidades era notoriamente densa. Ocho o nueve horas diarias de clase, distribuidas entre la mañana y la tarde. El aprendizaje era esencialmente memorístico. A lo largo del curso había veinte días de fiestas religiosas, además de una semana de vacaciones en Navidad y otra en Semana Santa. Los estudiantes de Gramática no tenían vacaciones en verano. Los de las demás Facultades tenían un mes (del 24 de agosto al 24 de septiembre). Las clases se solían dar en latín, aunque en Salamanca tardó en imponerse. La disciplina académica fue rigurosa con un sistema de multas. El claustro se reunía normalmente los sábados. Bachiller, licenciatura, doctorado y como meta final la agregación al colegio de doctores constituían los títulos de graduación universitaria. En Alcalá no se hacían exámenes anuales, pero se obligaba a demostrar la asistencia. Alumnos célebres de Alcalá fueron Santo Tomás de Villanueva, San Ignacio de Loyola, San Juan deAvila, Bartolomé de Carranza, Huarte de San Juan, Francisco Vallés, Arias Montano, Ginés de Sepúlveda, Domingo de Soto, Martín de Azpilcueta y Juan de Mariana entre otros. En Salamanca estudiaron Nebrija, Laguna, el Brocense, Pedro de Valencia, Fr. Luis de León, Bernardino de Sahagún, Melchor Cano, Domingo Báñez, Francisco Suárez, Saavedra Fajardo, Calderón de la Barca, Cervantes y Hernán Cortés. Catedráticos de Salamanca fueron Pérez de Oliva, el Brocense, Fr. Luis de León, Palacios Rubios, Vitoria, Soto, Bartolomé de Medina y Martín de Azpilcueta.

Con frecuencia, la cátedra se ejerció de modo itinerante. Así vemos a Nebrija, que fue dos veces catedrático en Salamanca (1476–1488 y 1506–1508) y en Alcalá (desde 1513), del mismo modo que Melchor Cano, Domingo Báñez y Francisco Suárez (éste ejerció en Salamanca, Avila, Valladolid, Alcalá, Salamanca, de nuevo, y Ginebra).

En Valencia ocuparon cátedras intelectuales como Pedro Juan Monzón, Bartolomé José Pascual, Juan Bautista Monllor; en Valladolid destacaron Fr. Martín de Paz y Francisco Suárez; en Zaragoza, Pedro Simón Abril y Baltasar Gracián; en Toledo, Sancho de Moncada; en Osuna, Diego de Zúñiga; en México, Tomás de Mercado; en Sigüenza, Pedro Ciruelo y Pedro Guerrero.

L. Stone acuñó el concepto de revolución educativa para definir el *boom* demográfico de la población universitaria europea de 1550 a 1640. La tesis de Stone es excesivamente optimista. La realidad es que la Universidad de los siglos XVI y XVII pasó por el *boom* demográfico sin experimentar cambio cualitativo alguno.

La representatividad de la Universidad en la cultura de su tiempo fue menos que escasa. Una relativamente elevada tasa de la población universitaria castellana (unos 20.000 estudiantes en el momento de máxima expansión, el 3,2 por 100 de los varones entre quince y veinticuatro años, frente al 2,7 por 100 de Inglaterra o el 1 por 100 de Francia) no indica para España un mayor índice de desarrollo cultural respecto a Europa.

Si bien la Universidad de Valencia se adscribió a las pautas más avanzadas de la medicina de su tiempo (la anatomía vesaliana o la química paracelsista) y la de Salamanca incluyó el copernicanismo entre sus Constituciones, la realidad es que la nueva ciencia que llega a España a fines del siglo XVII lo hace al margen de la Universidad como, de hecho, ocurre en Europa. Las críticas que los intelectuales españoles hicieron a sus Universidades también las expresaron Rabelais y Montaigne hacia la Sorbona.

En definitiva, no hubo revolución educativa. La Universidad siguió firmemente atada a un conservadurismo siempre interesado en satisfacer la demanda profesional de funcionarios y en reproducir la tramoya de los valores domésticos. En los siglos XVI y XVII siguió caracterizada por el corporativismo que adscribía a maestros y alumnos a una concepción gremialista y defensiva del saber. La educación universitaria nunca pudo competir con la eficacia de otros medios de comunicación como el púlpito o el confesionario. Las advertencias de Quevedo al rey: *en la ignorancia de los pueblos está el dominio de los príncipes, el estudio que les advierte les amotina (...) Príncipes, temed al que no tiene otra cosa que hacer sino imaginar y escribir*, no podían provocar una reacción en una Universidad que se permitió muy pocas veces la tentación de pensar.

En la Corona de Aragón el panorama universitario era en parte diferente. En primer lugar, la Universidad de Valencia, a pesar de ser el reducto de un extremado tradicionalismo durante casi todo el siglo XVII supo mantener un nivel digno en la enseñanza práctica de disciplinas como la botánica y la anatomía, e incluso incorporar algunos elementos innovadores en los últimos años de la centuria. Por otra parte, las Universidades de Barcelona y Zaragoza, que habían tenido una azarosa existencia y muy escaso relieve durante el siglo XVI, llegaron a contar en la segunda mitad del siglo con Facultades de Medicina de relativa importancia dentro del empobrecido panorama español.

La única institución docente de relieve fundada en la España del siglo XVII habían sido los Reales Estudios del Colegio Imperial de Madrid. Su creación, en 1625, fue una importante victoria para la Compañía de Jesús, acogida con hostilidad tanto por las Universidades como por algunos ambientes científicos y técnicos. Significó la desaparición de la Academia de Matemáticas, cuyos medios e instalaciones pasaron a ser propiedad del nuevo centro. Destinado principalmente a la educación de los primogénitos de la nobleza, entre sus enseñanzas se encontraban la historia natural, la filosofía natural y las matemáticas.

La ciencia tiene que desarrollarse a través del apoyo de mecenas particulares. En este sentido destaca D. Juan José de Austria. De él sabemos que seguía con gran atención la producción astronómica y física de su tiempo, manejaba con gran destreza los instrumentos de observación astronómica, asistía con frecuencia a experimentos fisiológicos y químicos, y a disecciones anatómicas, y era un gran aficionado a la mecánica, llegando a construir personalmente varios aparatos. Su postura acerca de la aplicación de los nuevos conocimientos y técnicas de la resolución de los problemas colectivos se refleja en dos significativas dedicatorias a su persona: la del *Discurso físico y político* (1679) de Juan Bautista Juanini, primer texto español en el que se utilizan los saberes médicos y químicos *modernos* para enfrentarse con un problema de higiene pública, y la *Arquitectura civil, recta y oblicua* de Juan Caramuel, fundamentación matemática al día de las técnicas de la construcción. Su apoyo es, sin duda, una de las claves explicativas de la pujanza del grupo de novatores y tradicionalistas moderados de Zaragoza.

Más conocidos como mecenas son los nobles, en torno a los cuales se reunían las *tertulias* que sirvieron de núcleo a las ideas científicas modernas en Madrid: la interesantísima figura del marqués de Villena, el marqués de Mondéjar, el duque de Montellano, etcétera. Estas *tertulias* o *academias* no eran nuevas, pero hasta entonces habían sido de carácter literario y artístico. El paso a un primer plano de la ciencia en algunas de ellas es uno de los signos más claros de la incipiente mentalidad que conducirá a la Ilustración. En Valencia, otro de los focos de la renovación, las *tertulias* más famosas fueron las del conde de Alcudia y el marqués de Villatorcas. En Sevilla destaca la del médico Juan Muñoz y Peralta. Al aprobar Carlos II sus Constituciones en 1700 esta tertulia se convirtió en la *Regia Sociedad de Medicina y otras ciencias*, primera de las instituciones científicas españolas consagradas al cultivo de las tendencias modernas.

BIBLIOGRAFIA

La producción cultural puede analizarse a través de VARIOS: *Creación y público en la literatura española,* Madrid, 1974; LINZ, J., *Intellectual Roles in Sixteenth Century Spain,* Barcelona, 1972, pp. 59-108; GONZÁLEZ MARTÍN, J. J., *El artista en la sociedad española del siglo XVII,* Madrid, 1984; BROWN, J., *Ideas e imágenes en la pintura española del Siglo de Oro,* Madrid, 1976.

Sobre imprenta y edición, BOHIGAS, P., *El libro español (Ensayo histórico),* Barcelona, 1962; MILLARES CARLO, A., vol. II, n.º 3; RUBIO, J., y MARIMÓN MADURELL, J., *Documentos para la historia de la imprenta y librería en Barcelona (1477-1533),* Barcelona, 1955; NORTON, J., *A descriptive Catalogue of Prinnting in Spain and Portugal. 1501-1520,* Cambridge, 1978; MOLL, J., *El libro en el Siglo de Oro. Edad de Oro,* I, 1982; BLECUA, A., *Manual de crítica textual,* Madrid, 1987.

Sobre la *cuestión lingüística*. GARCÍA CÁRCEL, R., *Historia de Cataluña. Siglos XVI y XVI,* Barcelona, 1985.

Sobre consumo cultural, CHEVALIER, M., *Lectura y lectores en la España de los siglos XVI y XVII,* Madrid, 1976; BERGER, PH., *Libro y lectura en la Valencia del Renacimiento,* Valencia, 1987; SAUGNIEUX, J., *Les mots et les libres,* Lyon, 1986; JAURALDE, P., *El público y la realidad histórica de la literatura española de los siglos XVI-XVII, Edad de Oro,* 1, 1982; BENNASSAR, B., y otros, *Orígenes del atraso económico español,* Barcelona, 1985; GALABERT, J. E., *Lectura y escritura en una ciudad provinciana del siglo XVI: Santiago de Compostela,* Bull. Hisp. jul-dic. 1982.

Sobre Inquisición y cultura, LEA, H. CH., *Historia de la Inquisición,* 3 vols. Madrid (especial atención a los prólogos de ALCALÁ, A.); ALCALÁ, A., *Inquisición española y mentalidad inquisitorial,* Barcelona, 1984; MÁRQUEZ, A., *Literatura e Inquisición en España. 1478-1834,* Madrid, 1980; GARCÍA CÁRCEL, R., *Herejía y sociedad en el siglo XVI,* Barcelona, 1980; ALCALÁ, A., *La Inquisición y la sociedad española,* en *La Inquisición.* Catálogo exposición, Madrid, 1982, pág. 51-73. KAGAN, R., *Universidad y sociedad en la España moderna,* Madrid, 1981; PESET, M. y J. L., *La Universidad española siglos XVIII-XIX,* Madrid, 1974; JIMÉNEZ, A., *Historia de la Universidad española,* Madrid, 1971; MARTÍNEZ GOMIS M., *La Universidad de Orihuela 1610-1807,* Alicante, 1987; VARIOS, *Simposium sobre Educación e Ilustración,* Madrid, 1988.

TEXTOS Y DOCUMENTOS

La valoración de la cultura española. Leyenda negra-leyenda rosa

¿QUE cosa nació en España buena a ojos de otras naciones, ni qué crió Dios en ella que a ellas les pareciese obra de sus manos?

¡Oh desdichada España! —añade—. ¡Revuelto he mil veces en la memoria de tus antigüedades y anales, y no he hallado por qué causa seas digna de tan porfiada persecución! Sólo cuando ven que eres madre de tales hijos, me parece, que ellos porque los criaste, y los extraños, porque ven que los consientes, tienen razón de decir mal de ti (...). No nos basta ser tan aborrecidos en todas las naciones, que todo el mundo nos sea cárcel y castigo y peregrinación, siendo nuestra España para todos patria igual y hospedaje (...).

¿Quién no dice que somos locos, ignorantes y soberbios no teniendo nosotros vicio que no le debamos a su comunicación de ellos? ¿Supieron en España qué ley había para el que lascivo ofendía las leyes de la Naturaleza, si Italia no se lo hubiese enseñado? ¿Hubiera el brindis repetido aumentado el gasto a las mesas castellanas si los tudescos no lo hubieran traído? (Quevedo, *La España defendida,* 1608, ed. por Selden Roze en 1916).

¿QUE te ha parecido de España?, dijo Andrenio. Murmuremos un rato de ella, aquí donde no nos oyen.

—Y aunque nos oyeran, ponderó Critilo, son tan galantes los españoles, que no hicieran crimen de nuestra civilidad. No son tan sospechosos como los franceses; más generosos corazones tienen.

—Pues dime, ¿qué concepto has hecho de España?

—No malo.

—¿Luego bueno?

—Tampoco.

—Según eso, ¿ni bueno ni malo?
—No digo eso.
—¿Pues qué?
—Agridulce.
(...)
—No me puedes negar que son los españoles muy bizarros.
—Sí, pero de ahí les nace el ser altivos. Son muy juiciosos, no tan ingeniosos. Son valientes, pero tardos. Son leones, más con cuartana. Muy generosos y aún perdidos. Parcos en el comer y sobrios en el beber, pero superfluos en el vestir. Abrazan todo lo extranjero, pero no estiman lo propio. No son muy crecidos del cuerpo, pero de grande ánimo. Son poco apasionados por su patria y trasplantados son mejores. Son muy allegados a la razón, pero arrimados a su dictamen. No son devotos, pero tenaces de su religión. Y absolutamente es la primera nación de Europa: odiada porque envidiada.
(...)
La soberbia, como primera en todo lo malo, cogió la delantera. Topó con España, primera provincia de Europa. Parecióla tan de su genio, que se perpetuó en ella. Allí vive y allí reina con todos sus aliados: la estimación propia, el desprecio ajeno, el querer mandarlo todo y servir a nadie, hace el don Diego y vengo de los godos, el lucir, el campear, el alabarse, el hablar mucho, alto y hueco, la gravedad, el fausto, el brío, con todo género de presunción, y todo esto desde el noble hasta el más plebeyo. (Baltasar Gracián, *El Criticón,* 2.ª Parte, 1653).

Teatro

DIGO que conviene honrar a Dios inmortal y a todos los santos con toda nuestra alegría, con votos, sacrificios, canciones, flores, ramos hermosamente compuestos y entretejidos, y no dejar cosa alguna de las que se entiende que puedan aumentar la religión y piedad en los ánimos de los mortales; los cuales, como se gobiernan por los sentidos, se mueven principalmente por el exterior aparato de las cosas, ornato y pompa. Pretendo empero que los faranduleros se deben de todo punto desterrar de las fiestas del pueblo cristiano y de los templos...

Porque, ¿cómo puede ser conveniente que hombres torpes representen las obras y vidas de los santos, y se vistan de las personas de San Francisco, Santo Domingo, la Magdalena, los Apóstoles y del mismo Cristo?... Proveído está que las imágenes en los templos se pinten con toda honestidad, y ¿sufriremos que una mujer deshonesta represente a la Virgen María o Santa Catalina, y un hombre infame se vista de las personas de San Agustín y San Antonio?

Estos años pasados en cierta compañía destos hombres, lo cual oímos al mesmo juez que lo averiguó, cierta mujer de aquel rebaño que representaba la Magdalena, fue convencida en Alcalá de Henares de estar amancebada con el farandulero que con aparato y majestad, con voz, meneo y vestiduras, representaba a Cristo, el mesmo hijo de Dios; grande torpeza, y tanto mayor, que eran oídos con grande aplauso del pueblo, y muchas veces hacían saltar las lágrimas a los que los miraban y oían.

Porque ¿qué se debe juzgar de las fiestas de los santos y de las honras que se les hacen, donde las hablas deshonestas, meneos y señas lascivas ocupan todas las partes del templo, y de las cuales las personas honestas están forzadas a huir por no ensuciar sus ojos y orejas con tan grande avenida de maldad? (P. Mariana, *Contra los juegos públicos,* cap. VII, cit. por J. Caro Baroja, *Las formas complejas de la vida religiosa,* pág. 102).

Religión popular

LA falta de devoción de algunos españoles y su mascarada de religión es una cosa que no se puede comprender, y nada hay más risible que verlos en misa con grandes rosarios colgados de sus brazos, con los que marmotean los *pater noster* sin dejar de observar cuanto les rodea, y pensando, por tanto, mediocremente en Dios y en su santo sacrificio, y al llegar a alzar rara vez se ponen de rodillas. Su religión es en todo de las más cómodas, y son exactos en observar todo lo que no les produce alguna molestia; castigarían severamente a un blasfemador del nombre de Dios y a una persona que hablase contra los santos y los misterios de nuestra fe, porque es preciso estar loco, dicen ellos, para cometer un crimen que no da gusto ninguno; pero no por moverse de los lugares más infames, comer carne todos los viernes y sostener públicamente una treintena de cortesanas y tenerlas todos los días a sus lados, eso ni siquiera es para ellos materia de escrúpulo. No hablo más de los libertinos, cuyo número es grande, porque es preciso convenir en que en todas las clases hay raras personas de una piedad sólida y de un gran ejemplo. (Gramont, *Memorias*, 1659, págs. 540-541).

¿QUIEN os podía decir la muchedumbre de penas que allí padecerán, pues no tendrán miembro ni sentido en su cuerpo, ni potencia en su alma que no tenga especial dolor? Los ojos llenos de adulterio, curiosos y altaneros, serán escocidos con sempiterno llanto, oscureciendo con el humo negro y espeso del pozo del abismo; en tinieblas más palpables que las de Egipto; en una noche horrenda que nunca verá el alba del día. Asombrados y atormentados con la vista de las personas que fueron cómplices de sus pecados, para aumento de su pena. Y más con las espantables figuras de los demonios, que con terribles y feísimos gestos y ademanes se les representarán... Los oídos, amigos de músicas profanas, de murmuraciones y de pláticas deshonestas, serán atronados y ensordecidos con los golpes y martilladas de los atormentadores que habrá en aquella herrería de Plutón, y con los alaridos y clamores de los atormentados. Unos aullarán como lobos, otros ladrarán como perros, otros bramarán como toros y leones, otros con voz ronca y dolorosa darán espantables gemidos, exprimiendo con rabia los dolores intrínsecos que padecen. Para el olfato que deleitaba con los buenos olores y aguas de flores, habrá intolerable hedor que saldrá de sus cuerpos, también del lugar que es albañar y sumidero del mundo... (Fr. Alonso de Cabrera, *Sermones,* cit. por J. Caro Baroja, *Las formas complejas de la vida religiosa,* pág. 52).

DE la afición a las galas, que diximos arriba, nace en algunas personas un abuso digno de remedio, y es, que como por una parte tienen esta aficionzilla arraigada en el coraçon, y por otra su estado no permite la superfluidad de las galas y dixes que apetecen para parecer bien, viene a ser, que a las santas que tienen sus oratorios, las visten de damas muy bizarras y compuestas; y si bien suele ser este abuso más ordinario y común en el mundo, y trueco muy usado, en que a las imágenes las visten ya de damas, y a las damas las visten de imágenes: pero también suele aver en esta materia algún abuso en personas virtuosas; de las quales algunas, como traen el alma galana allá dentro, visten a los santos de sus oratorios con tantos dixes y galas, que es cosa indecentísima; y a vezes le da a un hombre gana de reír, viendo las bujerías que ponen a los santos; y otras de llorar, mirando la indecencia con que los santos y santas son tratados. ¿Qué cosa más indecente, que una Imagen de nuestra Señora con saya entera, ropa, copete, valona, arandela, gargantilla, y cosas semejantes? ¿Y unas santas vírgenes vestidas tan profanamente, y con tantos dixes y galas que no traen más las damas más bizarras del mundo? Que, a vezes, duda un hombre, si las adorará por Santa Lucía, o Santa Catalina, o si apartará los ojos, por no ver la profanidad de sus trajes: porque en sus vestidos y adorno no parecen santas del Cielo, sino damas del mundo: y a no estar Santa Catalina con su espada en la mano, y Santa Lucía con sus ojos en el plato, por lo que toca al vestido y traje galán con que las visten, nadie dixera que eran santas, ni vírgenes honestísimas, como lo fueron. (Bernardino de Villegas, *La espera de Cristo,* cit. por J. Caro Baroja, *Las formas complejas de la vida religiosa,* pág. 180).

Integrismo religioso

¿QUANTAS vezes ha sucedido que estando celebrando los españoles una victoria han prevenido lágrimas, para llorar un vencimiento? Muchas. ¿Ya no hemos visto en nuestro reyno encender luminarias para solemnizar la toma de una plaza y estar el correo llamando a nuestras puertas con nuevas de que el enemigo nos ha tomado otra? Sí: con que con las luzes del gozo se juntan los lutos de la pena y con las vozes de alegría, las vozes del pesar. Estos sucessos experimentamos cada día; y no hay día en que las guerras cessen. ¿Qué es la causa? ¿Qual ha de ser, sino que siendo nosotros los más beneficiados de la mano de Dios, somos los más ingratos contra el haziendo (como allá los hebreos) de los beneficios que nos haze, instrumento para ofenderle? ¿Háse visto el Reyno en tal rotura de vicios como en la que oy se halla? No. ¿No corre aora, entre nosotros, heredada la ingratitud con Dios, de los hebreos? Sí. Pues que las hermosuras que Dios ha dado se emplean en disponerlas y adereçarlas con cuydado, para sean laços en que caygan las almas; los entendimientos, en discurrir nuevos modos de pecar; las voluntades, en los empleos del agravio de Dios; las riquezas, en la mayor profanidad de galas que se imaginó ver, en tan suntuosos adornos de casas ordinarias, que hazen emulación a los de los palacios reales; en sustentar ídolos en las damas, a quien los galanes veneran más que a Dios, pues con ellas le ofenden. Los puestos, las dignidades, los oficios, muchos dellos se emplean en venganças, en torcer la justicia, dirigiendo la gracia, la sentencia y favor azia los poderosos, porque pueden pagarlos a los deudos y amigos, sólo porque lo son, cargando la pena y el rigor de justicia sobre los innocentes, porque en ellos no hallan estos respectos de interés. En estos y otros vicios está el Reyno anegado y siendo tan comunes y muchos los culpados, vemos pocos castigos; porque ay juezes que apadrinan las culpas, o por lo que interesan o porque temen que les quiten la vida, el puesto, o el oficio, si sacaran la cara a castigarlas. Y no hazen los pocos que ay zelosos, porque ay muchos que cuydan de que no se lo digan. Esta es la causa de la duración en nuestro Reyno de las guerras y los malos sucessos. Porque cuando los pecadores están celebrando el logro de sus culpas tan licenciosamente, porque falta castigo para ellas, Dios que es el ofendido, se arma contra nosotros y dispone que no falten guerras y para afligirnos tengamos en ellas los sucesos que vemos y lloramos. (Sermón de Diego de Consuegra, Caro Baroja, *Op. cit.*).

Concepto de España. Punto de vista castellano

NO sólo Roma, sino todas las colonias y las ciudades a quien se comunicaba los privilegios romanos, eran exentas de pechos y tributos, gozando del derecho itálico, de que tuvo origen el llamar hidalgos a los que no pechaban. Sólo Castilla ha seguido diverso modo de imperar, pues debiendo, como cabeza, ser la más privilegiada en la contribución de pechos y tributos, es la más pechera y la que más contribuye para la defensa y amparo de todo lo restante de la Monarquía; porque no sólo da para el sustento de la Casa Real y para asegurar las costas de España, sino también para presidiar a Italia, sustentar las fuerzas de África, reducir a Flandes y socorrer provincias y príncipes extranjeros; que aunque al hacerlo es buena razón de estado para desviar la guerra de nuestros reinos, pues (como queda dicho) el que no las tuviere fuera de sus tierras las tendrá en ellas, con todo eso parece justo que, repartiéndose las cargas en proporción, quedará por cuenta de Castilla el sustentar la Casa Real, guardar sus costas y la carrera de Indias, y que Portugal pagara sus presidios y las armadas de la India oriental, como lo hacía cuando no estaba incorporado con Castilla. Que Aragón e Italia defendieran sus costas, y sustentaran para ellos los bajeles y milicia necesaria; porque no parece puesto en razón que la cabeza se atenúe y enflaquezca, mientras los demás miembros, que están muy poblados y ricos, miran las cargas que ella paga; siendo más justo que las provincias que están vecinas a confinantes enemigos contribuyan más para su propia defensa, como en las Cortes de Madrid del año 1528 se pidió al Sr. Emperador Carlos V. (Pedro Fernández de Navarrete, *Conservación de monarquías*, Madrid 1626, Biblioteca Autores Españoles, XXV, pág. 460).

ESPAÑA, cabeza de tan dilatada monarquía, era sola la que, por acudir a la conservación de tanto mundo, estaba pobre y más en particular los locales vecinos de Castilla, causada esta pobreza de los nuevos tributos que Felipe con voluntad de estos precios había impuesto; principio de la despoblación y trabajos que andando el tiempo vivieron sobre Castilla, descaeciendo un reino tan opulento por la mucha priesa que le dieron con cargarla más de lo que podían las fuerzas (...) (Gil González Dávila. *Historia de la vida de Felipe III,* escrita en 1623 y publicada en 1771).

SIENDO la esfera de la capacidad de España tan extensa, que lo comprende todo, y careciendo de límites su Imperio, bien diremos que participa un género de inmensidad por la cual asiste a todas partes, todo lo ocupa, todo lo perfecciona; pues no hay ángulo tan escondido en todo el orbe, que no deba por lo menos a España la noticia de la verdadera religión, extendida con gastos y peligros tan grandes, y conservada con pérdidas de tantas vidas de personas felices, que en muchas ocasiones la diferenciaron con su sangre. (Juan Carancel, *Declaración mística de las Armas de España, inclítamente belicosas,* 1636).

Concepto de España. Punto de vista catalán

YA lo pagaréis y seréis castigado en vuestro Reyno y familia. Considerado con atención advertido el calamitoso estado en que se hallan los Países Baxos de Flandes tassamente redussidos a una corta jornada que a Vuestra Real Corona reconoscan vasallaje. Atended los holandeses que con sus victoriosas armas tienen conquistado en la provincia de Brasil más de 300 leguas de costa, que senyoras del océano quedan vuestras flotas imposibilitadas de navegar sigurar a nuestras playas espanyolas? Italia sustentada con palillos, vuestros estados todos apenados (...)

España amenaçada, sus Provincias lastimadas, en Vizcaya ha habido conturbaciones. Alteraciones en Portugal, Castilla llora, Aragón y Valencia, gimen. Cathalunya clama al cielo. Consequencias todas de arbitrios nuevos y de opiniones polyticas fundadas en el antojo de algunos, los quales si produzieran dichosas ofertas, podía disimularse la novedad, pero quien intenta una cosa y surte muy diferente, en desesvicio de V. Magestad es sano consejo mandar se retiren estos pareceres. (Manuscrito 211 de la Biblioteca Universitaria de Barcelona, f. 201).

CATALUÑA les da pena
porque tiene privilegios
y Castilla es invidiosa.
Su estendida Monarquía
no ha de sufrir que ella sola
con particulares leyes
le govierne más de agora...
Qué harás Castilla afligida
haz un río de tus ojos
y pide perdón a Dios
que tus culpas assi açota.
(Hugo de Hirovol, *Cataluña agradecida,* 1642).

Actitud ante la unión con Portugal

VEO todo este reino muy afligido y con muy poca gana de cualquier acrecentamiento de su Magestad, y menos déste, por parecerles que a los particulares dél, o es dañoso o muy poco provechoso; y para decir claro como debo lo que siento veo los corazones muy trocados de lo que solían en el amor y afición y deseo de la gloria y honra de su Rey, teniéndolo primero cada uno metido en sus entrañas y deseando la vida y la salud de su Magestad más que la propia. Lo cual no es así ahora, y esto en todos los estados, porque los pueblos por las alcabalas, los grandes por parecerles que ya no son, ni se hacen caso dellos; los caballeros por las pocas y cortas mercedes que reciben; los clérigos por el subsidio y excusado y otras cargas que padecen; los prelados por esto y por los vasallos de las iglesias que se venden; hasta los frailes por la reformación que se ha intentado hacer de algunas religiones, están amargados, disgustados y alterados contra su majestad, de suerte que aunque es Rey tan poderoso y tan obedecido y respetado, no es tan bien quisto como solía, ni tan amado, ni tan señor de las voluntades y de los corazones de sus súbditos, y déstos se ha de formar el ejército, y éstos son los que han de pelear, lo cual harán floramente si los corazones estuviesen flojos y caídos en el amor de su Rey. (P. Rivadeneyra, *Tratado de la religión y virtudes que debe tener el Príncipe cristiano,* Biblioteca Autores Españoles, LX, pág. 589-90).

Actitud ante América

SEGUNDARIAMENTE los Españoles pretendieron travar con los Indios la compañía y amistad que naturalmente conviene al hombre, y tener comercio, trato y comunicación con ellos, y vivir en aquella región; a lo cual debieron ser admitidos, lo primero por el Derecho de las Gentes, y porque el trato y comunicación entre los hombres es de Derecho Natural, y porque desde el principio el mundo, quando todas las cosas eran comunes, fue lícito caminar de una Provincia á otra: lo qual no se quitó por la división y apropiaciones de las cosas; y porque á los Españoles no les está prohibido por Derecho alguno Divino, Natural ni Humano pasar a Indias, mayormente siendo su pasada en tanto provecho de las mismas Indias. (Pedro Salazar de Mendoza, *Monarquía de España,* I, págs. 356-7).

JUNTOSE a esto, demás de la infidelidad, la tyrania de los Príncipes Indios, sus injustas leyes y sacrificios de inocentes... y otros muchos delitos contra la naturaleza, cuyo castigo... dicen pertenece a la Santa Silla Apostólica, y que la guerra que por esto se moviere será justa... más dicen que por el Derecho Natural, sin autoridad del Papa, pueden los Príncipes vedar el uso de estos nefangos sacrificios, y compelerles á que se abstengan del maldito uso de comer carne humana, hacerles buena guerra, mudarles el gobierno, y ponerles el que les pareciere, si no se enmendaren y reformaren sus costumbres. (Pedro Salazar de Mendoza, *Monarquía de España,* Edición de Madrid, 1770, pág. 357).

Honor y limpieza de sangre

DON Antonio Martín y Sierra, sacristán de la catedral de la ciudad de Teruel y comissario del Santo Oficio de aquel distrito... digo que un día del mes de junio próximo passado del presente año de 1632 habiendo llegado al lugar de Torrelacárcel, aldea de la Comunidad de Teruel y del distrito de Vestra Señoría, un colegial del Colegio de Santa Cruz de Valladolid, cuyo nombre no me acuerdo, a recibir informaciones de la limpieza de la naturaleza del Doctor Gaspar Bueno y Martín, primo segundo de este suplicante, el qual y dicho Doctor Gaspar Bueno tienen en dicho lugar un quarto por sus abuelos y por la naturaleza de los Martínez y hoy de presente en dicho lugar hay y reside Antonio Martín y Adrián, tío deste suplicante y primo hermano de su padre, y habiendo recibido dicho colegial muchos testigos es voz común y fama pública que en dicha información han deposado Balthasar Hernández y Esperanza Hernández,hermanos y vezinos del dicho lugar de Torrelacárcel, que el dicho Doctor Gaspar Bueno y Antonio Martín, tío y primo del suplicante eran judíos y de mala raza y no solamente en esta ocasión pero antes y después desta información han dicho ante muchas personas lo mismo, y estando muchos escandaliçados de esto porque tienen a la dicha naturaleza por limpia y sin mancha y adviertiéndoles a los dichos que estaban errados porque la dicha naturaleza tiene probada... en muchas ocasiones y que habían muy, muy mal de levantar este falso testimonio han respondido que habían sobornado los testigos y en particular en la información que se hizo de este suplicante de manera que según lo dicho la honra de los dichos y su buen nombre y reputación corre por cuenta mía y me toca e incumbre emprender y proseguir la venganza e injuria a desacatos causados a los dichos Don Gaspar Bueno y Antonio Martín y en el caso al Tribunal de Vuestra Señoría, pues siendo mi sangre limpia de toda mala raza y habiéndose verificado una y muchas vezes no sólo esto atreviento redunda en daño de los dichos sino de los ministros que han hecho las informaciones y testigos que en ellas han deposado y como este delito sea digno de punición y castigo por tanto... digo... que me querello de los dichos Balthasar Hernández y Esperanza Hernández hermanos que ante Vuestra Señoría y este santo tribunal les denuncio y criminalmente acuso y suplico que para que conste del hecho... se me mande recibir sumaria información de testigos... asimismo pido y suplico que los dichos Balthasar Hernández y Esperanza Hernández sean presos y traydos a las cárceles de este Santo Oficio y que de cada uno de ellos sean exigidos judiciales confessiones y respuestas... (Archivo Histórico Nacional, Sección Inquisición, Trib. de Valencia, Leg. 52, exp. 4.)

El concepto de la mujer

¿ADONDE está el encogimiento honestísimo que tenían las doncellas, arrinconadas hasta el día de su desposorio, cuando apenas tenían noticia de ellas sus cercanos deudos? ¿Dónde la llaneza, encerramiento y virtudes de las mujeres, cuando no era gallardía como ahora hacer ventana con desenvoltura? Ahora, empero, todo es burlería, el manto al hombro, frecuencia de visitas; no hay recato; saben tanto del mundo que espantan a quien las oye; y hallo por mi cuenta que como esto de las iglesias, y estaciones no se excusa, sin duda allí se les juntan mujercillas, y las oyen sus liviandades, y las ajenas, y las saben, y traen de memoria, y aun los nombres de cuantas damas hay, y galanes en el lugar, y aun las licencias que los padres les dan para ir a las comedias, y oírlas les hace más hábiles de lo que es necesario en ruindades y malicias. (F. Luque Fajardo, *Desengaño contra la ociosidad y los juegos,* Madrid, 1603).

ESTAN de noche sobresaltadas en sus camas, esperando cuando pase a quien con el chillido de la guitarra las levante, oye cantar unas coplas que hizo Jerineldos a doña Urraca, y piensa que son para ella. Es más negra que una graja, más torpe que una tortura, más necia que una salamandra, más fea que un topo, y porque allí la pintan más linda que Venus, no dejando cajeta ni valija de donde para ella no sacasen los alabastros, carmines, turquesas, perlas, nives, jazmines, rosas hasta desenclavar del cielo el sol y la luna, pintándola con estrellas y haciéndola de su arco cejas... (M. Alemán, *Guzmán de Alfarache*).

¡QUE placer es ver a una mujer levantarse por la mañana, andar revuelta, la toca desprendida, las faldas prendidas, las mangas alzadas, sin chapines en los pies, riñiendo a las mozas, despertando a los mozos y vistiendo a sus hijos! ¡Qué placer es verla hacer su colada, cocer su pan, barrer su casa, encender su lumbre, poner su olla, y después de haber comido tomar su almohadilla para labrar o su rueda para hilar! (Fray Antonio de Guevara, *Epístolas familiares*).

MAS vale la maldad del varón que el bien de la mujer, dijo quien más bien dijo, porque menos mal te hará un hombre que te persiga que una mujer que te siga. Más no es un enemigo solo, sino todos en uno, que todos han hecho plaza de armas en ella: de carne se compone, para descomponerle; el mundo la viste, para poder vencerle a él, se hizo mundo della; y la que del mundo se viste, del demonio se reviste en sus engañosas caricias. De aquí, sin duda, procedió al apellidarse todos males hembras [...] Hácenle la guerra al hombre diferentes tentaciones en sus edades diferentes, unas en la mocedad y otras en la vejez, pero la mujer en todas. Nunca está seguro de ellas, ni mozo, ni varón, ni sabio, ni valiente, ni santo; siempre está tocando el arma este enemigo común y tan casero. (B. Gracián, *El Criticón*).

Actitud ante América

¿COMO, que no os he dado las Indias? Indias os he dado, y bien baratas, y aun de mogollón, Indias para Francia, como la misma España ? Venid acá: lo que los españoles ejecutan con los indios (no os lo desquitáis vosotros con los españoles? Si ellos los engañan con espejillos, cascabeles y alfileres, sacándoles con cuentas los tesoros sin cuento, vosotros con lo mismo, con peines, con estuchitos y con trompas de París, ¿no les volvéis a chupar a los españoles toda la plata y todo el oro, y esto sin gastos de flotas, sin disparar una bala, sin derramar una gota de sangre, sin labrar minas, sin penetrar abismos, sin despoblar vuestros reinos, sin atravesar mares?... Creedme que los españoles son vuestros indios, y tan desinteresados, que con sus flotas os traen a vuestras casas la plata ya acendrada y ya acuñada, quedándose ellos con el vellón y bien trasquilados. (Gracián, *El Criticón.* Cit. por Ricardo del Arco. Op. cit., pág. 425).

NO niego que en las primeras conquistas de América sucederían algunos desórdenes, por haberlas emprendido hombres que no cabiendo la bizarría de sus ánimos en el mundo, se arrojaron, más por permisión que por elección de su rey, a probar su fortuna con el descubrimiento de nuevas regiones, donde hallaron idólatras más fieros que las mismas fieras, que tenían carnicerías de carne humana, con que se sustentaban; los cuales no podían reducirse a la razón si no era con la fuerza y el rigor. Pero no quedaron sin remedio aquellos desórdenes, enviando contra ellos los Reyes Católicos severos comisarios que los castigasen, y mantuviesen los indios en justicia, dando paternales órdenes para su conservación, eximiéndoles del trabajo de las minas y de otros que entre ellos eran ordinarios antes del descubrimiento; enviando varones apostólicos que los instruyesen en la fe, y sustentando a costa de las rentas reales los obispados, los templos y religiones, para beneficio de aquel nuevo plantel de la Iglesia, sin que después de conquistadas aquellas vastas provincias se echase menos la ausencia del nuevo señor; en que se aventajó el gobierno de aquel Imperio y el desvelo de sus ministros...; y desde este mundo mantienen aquél los reyes de España en justicia, en paz y en religión, con la misma felicidad política que gozan los reinos de Castilla. (Saavedra Fajardo, *Idea de un príncipe político, cristiano.* Empresa XII).

Si en España hubiera sido menos pródiga la guerra y más económica la paz, se hubiera levantado *con el dominio universal del mundo;* pero con el descuido que engendra la grandeza, ha dejado pasar a las demás naciones las riquezas que la hubieran hecho invencible. De la inocencia de los indios las compramos por la permuta de cosas viles; y después, no menos simples que ellos, nos las llevan los extranjeros, y nos dejan por ellas el cobre y el plomo. Es el reino de Castilla el que con su valor y fuerzas levantó la Monarquía: triunfan los demás, y él padece, sin acertar a valerse de los grandes tesoros que entran en él...

Admiró el pueblo en las riberas del Guadalquivir aquellos preciosos partos de la tierra, sacados a la luz por la fatiga de los indios y conducidos por nuestro atrevimiento e industria; pero todo lo alteró la posesión y abundancia de tantos bienes. Arrimó luego la agricultura el arado, y vestida de seda, curó las manos endurecidas con el trabajo. La mercancía con espíritus nobles trocó los bancos por las sillas jinetas, y salió a ruar por las calles. Las artes se desdeñaron de los instrumentos mecánicos. Las monedas de plata y oro despreciaron el villano parentesco de la liga, y no admitiendo el de otros metales, quedaron puras y nobles, y fueron apetecidas y buscadas por varios medios de las naciones. Las cosas se ensoberbecieron; y desestimada la plata y el oro, levantaron sus precios...

Estos mismos daños del descubrimiento de las Indias experimentaron luego los demás reinos y provincias extranjeras por la fe de aquellas riquezas; y al mismo paso que en Castilla, subió en ellas el precio de las cosas y crecieron los gastos más de lo que sufrían las rentas, hallándose hoy con los mismos inconvenientes; pero tanto mayores, cuanto están más lejos y es más incierto el remedio de la plata y oro que ha de venir de las Indias y les ha de comunicar España. (Saavedra Fajardo, *Idea de un príncipe político, cristiano*. Biblioteca Autores Españoles, XXV, pág. 190.

INDICE ONOMASTICO